시가 될 이야기 ☽

작가의 말))

내 삶에 나보다 더 사랑한 사람이 있었습니다. 이전 연애와는 다르게 계산적인 모습을 보이지도 않았었고, 내 시간과 건강 모든 걸 신경 쓰지 않을 정도로 관계에 집중하며 노력을 많이 했었던 것 같습니다.

가수 권진아의 '운이 좋았지' 라는 노랫말 '나는 운이 좋았지. 내 삶에서 나보다도 사랑한 사람이 있었으니'처럼 그 사람을 만난 건 내 인생의 하이라이트였을지 모르겠습니다.

덕분에 나도 몰랐던 나의 모습을 알게 되었고, 알게 모르게 많은 습관이 생겼습니다. 처음엔 귀찮았고 굳이 왜 해야 하는건지 의문이 들었던 것들이 지금 돌이켜 보면 모두 내게 도움이 되는 습관들이었고 여전히 잘 지켜나가고 있습니다. 지금 그 사람은 내 곁을 떠나 없지만 떠나면서도 내게 많은 깨달음을 주고 떠난 그 사람이 저에겐 여전히 소중합니다. 어쩌면 그 사람을 만났기에, 사랑했기에 이 책이 세상에 나올 수 있었던 걸지도 모르겠단 생각이 들기도 합니다.

독자 여러분은 자신의 삶보다 더 사랑했던 사람이 있었나요? 혹은 아직 그런 사람을 만나보지 못하였나요? 어느 쪽이든 사랑을 멀리하지 않았으면 하는 바램입니다. 지나간 기억은 언젠가 비가 되고 시가 되기 마련이며, 삶에 사랑보다 달콤한 것은 없습니다.

또 다시 실컷 질리도록 사랑할 수 있었으면 좋겠습니다. 또 한 번의 상처를 입는다 하더라도. 이별이 아픈 것은 당연하지만 생각을 해보면 그 안에서 깨닫게 되는 것이, 연애와 이별을 통해 배울 수 있는 것은 우리가 생각하는 것보다 훨씬 많습니다.

지금부터 풀어나갈 이야기는 내 삶에 나보다 더 사랑한 사람을 만나고 떠나보내며 느꼈던 감정과 깨닫게 된 것들, 어쩌면 잊지 못할 시가 될 저의 이야기들입니다. 수많은 감정과 이야기들이 독자 여러분들에게 많은 위로와 공감이 되었으면 하는 바램입니다.

인스타그램 @darlbam

목차 ☽

2p : 작가의 말

사랑 : 잊지 못할 시가 될 이야기

12p : 나는 가벼운 사랑이 싫다
14p : 곁
16p : 길
18p : 꿈
20p : 의미
23p : 권태
24p : 죽순
26p : 운명
28p : 고백
30p : 위로
31p : 자격
32p : 서로
34p : 선물

36p : 문제

38p : 기적

40p : 증명

42p : 믿음

44p : 기록

46p : 투정

48p : 약속

50p : 우정

52p : 밤하늘

54p : 소중함

56p : 돌밭길

58p : 눈사람

60p : 안아줘

61p : 너의 인력

62p : 삶의 증거

64p : 너를 위한

66p : 한 송이 꽃

68p : 함께하는 날

70p : 내가 왜 좋아?

72p : 끊임없는 사랑

74p : 함께라는 행복

76p : 파랑새와 나무

78p : 닳지 않는 사랑

80p : 눈을 뜨는 이유

81p : 네가 사랑하는 사람은 어떤 사람이야?

82p : 영원이라는 약속

84p : 당연해지는 과정

86p : 첫 만남, 첫 사랑
88p : 사랑만 하며 살자
90p : 왜 좋아하는 거야?
92p : 매 번 새로운 사랑
94p : 너를 기다리는 동안
96p : 떠올리는 것만으로도
98p : 곁에 있는 것만으로도
100p : 다큐멘터리 같은 연애
102p : 영원히 사랑해줬으면 해
104p : 솔직해질 수 있었던 이유
106p : 당신을 사랑하고 있습니다
108p : 세상에서 가장 아름다운 별
110p : 매일 행복하지는 않아도 행복한 일은 매일 있다는 말
112p : 오늘도 우리는

이별 : 잊어야 할 시가 될 이야기

116p : 봄
118p : 여름
120p : 가을
122p : 겨울
124p : 감기
126p : 습관
128p : 고백
130p : 어른
132p : 착각
134p : 인사

137p : 기도
138p : 세포
140p : 미련
142p : 유서
145p : 편지
146p : 악몽
148p : 걱정
150p : 무제
152p : 생일
153p : 악연
154p : 질문
156p : 신기루
157p : 언제쯤
158p : 지우개
160p : 두려움
161p : 지하실
162p : 감기 2
164p : 첫 사랑
166p : 삶의 끝
168p : 편지 2
171p : 안타까움
172p : 몰랐다면
174p : 겨울나무
176p : 생의 시작
178p : 깊은 죽음
180p : 너란 소나기
181p : 글 쓰는 이유

182p : 지독한 장마
184p : 저무는 사랑
186p : 불편한 질문
188p : 어떤 해의 봄
190p : 고목, 그 아래
192p : 사랑은 타이밍
194p : 상처의 보호구
196p : 이별하러 가는 길
199p : 네가 전해준 우울
200p : 너를 만남으로써
202p : 여름 그 한가운데
203p : 순간과 영원의 간극
204p : 사랑에서 이별까지
206p : 사랑을 끝내는 이유
208p : 지워지지 않는 마음
210p : 듣지 말았어야 할 말
212p : 사랑할수록 옅어지는 삶
215p : 울지 말고 믿지마, 속지마
216p : 아니, 조금도 괜찮지 않아
219p : 사랑할 자격이 있긴 하니?
220p : 모두의 첫 사랑은 아픈 것
222p : 여전히 그해, 그날, 그 순간
224p : 우리의 추억은 어찌 되어가는가
226p : 다른 사람의 곁에 있는 그대에게
230p : 보지 않을 너에게

232p : 마지막으로

사랑

잊지 못할 시가 될 이야기

나는 가벼운 사랑이 싫다 ☾

사랑을 한다는 것은 그만큼의 책임을 동반한다. 마음을 나누는 것에는 그 마음으로 인해 생길 상처까지도 같이 나눌 각오가 있어야 한다. 내 마음의 상처뿐만 아니라 상대방의 마음의 상처까지도 동반하기에 더더욱 가볍게 여겨서는 안 된다. 내 마음에 옅게 베인 상처가 아프고 괴롭듯 상대의 마음 또한 여릴 거라고 생각해야 한다. 몸의 상처는 시간이 지나면 낫지만 마음의 상처가 낫는 데에는 시간만 필요한 것이 아니다. 사랑이라는 것은 내 마음을 지켜주기도 하지만 그 과정에서 남에게 상처 입히기도 하고 나를 슬프게 하기도 하는 양날의 검과 같다. 내가 상처입지 않기 위해 뽑았던 검이 도리어 상대에게 상처 입힐 수도 있다는 것이다. 내가 상처 받기 싫고 아픔이 두렵듯 상대 또한 같은 것이다. 겁 많은 마음일 테다.

비단 연인 관계에서만 국한되는 얘기는 아니다. 이 모든 마음을 나누는 사랑에 책임 없는 각오는 존재해서는 안 되며 그러한 가벼움은 사랑으로 인해 받을 상처를 무감각하게 만들 수 있을지는 몰라도 상대에게는 그 가벼움이 더 없는 절망과 치유할 수 없는 깊은 상처를 준다는 것을 알아야 한다. 그 가벼움이 동반한 무거운 책임을 그 누가 어떻게 감당할 수 있을까. 남몰래 품은 상처 하나 없는 사람은 없다. 그저 티 나지 않게 견뎌내고 있을 뿐이다.

나는 한 때 사랑했던 이에게 작은 상처 하나 없는 행복한 기억만을 남기게 해주고 싶어 했었다.

쓰라린 상처에 남몰래 눈물 훔치는 것은 나뿐만이 아니기에. 나는 사랑에서 오는 상처의 아픔을 뼈저리게 느껴봤었기에. 그렇기에 서로의 일생에 더 이상 서로는 없을지라도 상대에게 마음의 상처를 주지 않으려고 노력해왔으며 늘 신중하게 행동해왔다.

가벼운 감정으로 시작한 무거워야 할 사랑은 분명 오래 지나지 않아 부서지게 될 것이다. 가벼운 감정으로 시작한 사랑은 온 마음을 사랑에 쏟았을지라도 후에 돌아오는 것은 빈 껍데기와 같은 허물과 후회뿐일 것이다. 이로 인해 상처 받을 그대의 마음은 견딜 수 조차 없을 정도로 아플 것이다. 가벼움이 몰고 올 고통은 주는 것도 받는 것도 그저 사랑 없는 한낱의 두려움 뿐일 것이다.

그래서 나는 내가 감당하지 못할, 가볍기에 상처 입히기 쉬운 그리고 상처 받기 쉬운 가벼운 사랑이 싫다.

겹))

  그대와 나 사이의 침묵에 어색해하던 날들이 있었지. 무겁지는 않지만 잔잔하게 가라앉은 대기 안에서 작은 웃음으로는 깨트릴 수 없었던 시간들. 진부한 표현이지만 마치 영원 같았던 그 시간 안에서 허우적거리며 아무 말이나 쏟아내던 날이 있었지. 그러나 이제는 그렇지 않다. 아무 말 없이 희미하게 밝혀진 불빛 아래서 그대의 입꼬리가 유성처럼 말려 올라가는 것을 보며 그대의 허리를 꼭 끌어안고 그대의 새근거리는 숨소리를 듣는 것만으로도 나의 가슴은 크리스마스의 번화가처럼 소란스럽게 요동친다. 우리의 침묵은, 우리가 서로의 눈동자를 들여다보는 이 시간은 입이 아니라 가슴으로 말하는 사랑의 언어임을 우리 둘 모두 알고 있기 때문이다.

  그렇기 때문일까, 나는 늘 그대에게 미쳐 있기만 했다. 그대를 제외한 다른 어떠한 것도 나로 하여금 관심을 갖게 하지 못했고 그 때문에 그대가 아닌 다른 사람들은 나에게 별다른 관심의 대상이 되지 못했다.

  그때는 몰랐다. 그대의 만남과 인연을 이어감에 있어 그대와 그대를 비롯한 주변의 모든 것들에도 나의 주의가 기울어져야 했음을. 내가 바라고 원한다고 해서 그러한 것들이 그대 역시 바라고 원하는 것이 아닐 수도 있다는 것을. 그렇게 그대와의 차이와 마찰을 통해 나는 한층 더 다듬어지고 성숙해졌으며 그대와의 간극을 좁혀 나갈 수 있었음을 다행으로 생각한다. 늘 지금처럼 이렇게 그대와의 사랑을 더욱 공고히 지켜갈 수 있기를.

길 ☽

 어제도 여느 때와 다를 것 없는 하루였다. 너를 만나서 같이 밥을 먹고 네가 선물해준 테라로사 드립백의 향긋한 커피 한 잔을 마시고 가볍게 서로에 대한 이야기를 나누며 간간이 시답잖은 농담을 하고 사랑한다는 말을 주고받는 것.

 너는 알고 있을까?

 우리가 함께 하는 그 시간들 중에 네게 닿지 못하고 낙엽처럼 바스러진 말들이 얼마나 많은지. 내 입에서 나오는 단어들 하나하나, 그 음절 하나마다 깃들어 있는 의미가 여느 다른 사람들에게 말하는 의미에 비해 얼마나 큰 의미를 담고 있는지 말야. 오늘도 어제와 같이 여명이 동쪽 하늘을 깨뜨리며 붉게 물들어오고 나는 어제와 같이 잘 잤냐는 인사를 네게 건넨다. 하지만 어제보다도 오늘 나는 너를 더욱 사랑한다. 내 마음은 어느덧 성큼 다가온 겨울처럼 네게 한 발 더 다가서고 있었다.

 그러나 한 길 위에서 시작하지 않은 우리가 어긋나는 것은 너무도 당연한 운명이었다. 태어난 일시도,

장소도, 살아온 환경까지. 그 어느 것 하나 우리는 닮은 구석이 없었으니까. 마주칠 일조차 없는 것이 당연한 인연이었으니까. 운명의 신은 장난을 좋아한다고 했다. 마치 그 말을 입증이라도 하듯 신은 두 길 위의 어느 교차점에서 우리를 만나게 했다. 사거리 횡단보도 건너편에서 서로를 마주하듯. 그렇게 우리는 만나게 되었다.

이 교차점에서 스쳐 지나가는 인연이었어야 하는 것을, 우리가 서로를 애달파하며 그리워하는 것을 운명의 신이 바란 것일지도 모르겠으나 나는 이정표를 틀어 너의 길 위에서 함께 걸어가고 싶다. 그 끝에 무엇이 있을지는 모르겠지만 그 끝까지 오롯이 한 길일 것이라 믿으며 함께 걸어가고 싶다.

꿈 ☽

오늘도 꿈을 꾸었다. 늘 바라고 원하던 그런 일상이어서 너무 평범하게까지 느껴지던 꿈이었다. 아직 잠이 다 깨지 않은 채로 내 품으로 파고드는 너의 투정을 들으며 함께 잠에서 깨고 퇴근 후 돌아온 집에서 도어락 비밀번호를 누르기보다는 초인종을 눌러 열리는 현관문 안에서 배시시 웃는 너의 미소를 보는 그런 꿈이었다. 맥주 한 캔을 기울이며 하루의 이야기를 하고 오늘도 정신없이 힘들었다는 내게 건배를 제안하며 수고했다고 토닥여주는 너의 이마에 입 맞추고 팔베개를 해주며 누운 순간 잠에서 깨고 말았다. 너는 알고 있을까. 누군가는 누리고 있을 그 평범한 일상이, 그 꿈은 내게 상상조차 가지 않는다는 것을. 오직 너로 인해, 너와 함께해야만 가능하기에 내겐 너무도 특별하고 소중한 꿈이라는 것을 말이다.

아침에 눈을 뜨자마자 문득 너를 떠올렸다. 당연히 없을 것을 알지만 몸을 뒤척여 비어있는 베개를 더듬어 너의 흔적은 찾다가 괜한 기지개를 피며 무안함을 억누른다. 네가 내 옆에 있는 것처럼 푹신한 베개 위로 가만히 팔을 뻗어본다. 너무나도 가벼운 너의 머리가 살짝 팔을 지그시 누르는 따스함이 느껴진다.

너를 닮은 아침 햇살이 창유리를 뚫고 들어오는 것
인지도 모르겠다. 너는 너만의 공간에서 곤히 잠들어
있겠지. 내가 출근 준비를 하고 힘겹게 걸어 나가며 일
과를 시작할 때쯤 너는 눈을 뜨겠지.

　그리고 한참 전에 보낸 '잘 잤어?' 라는 인사를 보고
싱긋 미소를 지을 것이다. 느지막이 깨어 나른한 하품
을 하는 너의 평온한 미소가 보고 싶은 날이다.

의미 ☽

누군가의 말처럼 각자의 불행에는 제각각의 이유가 있지만 그 위태로움과 불안함은 서로 꼭 맞게 일그러져 있다. 살점을 찢고 심장에 박힐 때 쉽게 뽑아낼 수 없게끔 누군가 설계한 것처럼 그 형태가 혐오스럽다. 어디라도 가고 싶지만 그 어디에도 가지 못하고 나의 발목을 씹어 삼키려는 듯 탐욕스레 붙잡고 있는 그 기이한 형태가 나의 존재 그대로를 옮겨 놓은 것 같이 나를 뚝 닮았기에 더욱 그렇다.

내가 행복하다고 느끼지 못하는 만큼 누군가는 불행하기를 바라는 것, 역겨운 마음가짐이지만 그 누가 당당하게 하늘을 볼 수 있을까. 적어도 내가 아는 그 사람과 나는 그렇지 못했고 앞으로도 그러지 못할 것이다. 지금까지 탓했던 물웅덩이가 내일이라고 맑아지진 못할 테니까. 그렇기에 나는 여전히 탁하고 어둡고 더럽고 불결하다. 맑고 밝으며 고결하기엔 내가 꼭 쥐어야 할 것들이, 가져야 할 것들이 너무 많다. 내려놓고 승천하기에는 나의 탐이 많이 곯았다. 가득 채워본 적 없기에 목마름에도 강한 갈증을 느끼지 못하지만 항상 메말라 갈라져 있다. 갈라진 틈에는 욕망이라는 씨앗이 자라난다.

그래서 더 탁해지고 탐욕스럽고 혐오스러워진다. 그리고 인간다워진다.

서로가 서로의 살점을 뜯어먹고 살아야만 하는 나 같은 하이에나들은 그들을 내려 보는 사자가 되는 꿈을 꾼다. 뜯겨나간 살점의 비릿한 악취에 현실을 느끼지만, 너무나도 아프지만 꿈에서 깨지 못한다. 이 썩어 빠진 현실이 행복하지 않기 때문인 걸까. 행복이란 단어가 가져오는 박탈감과 괴리감 그리고 좌절감. 이 빌어먹을 망할 것들을 골고루 맛본 손끝은 절대 도덕적일 수가 없고 그 어떠한 망패라해도 손에서 내려놓질 못한다는 것은 길지 않은 세상살이동안 뼈 속 깊이 새긴 진리와도 다름없는 것이다.

이러한 절대 교접이 생길 수 없는 진실 앞에 행복과 불행이라는 서로 겹칠 수 없는 의미 앞에 너와 나는 서로의 입장을 가지고 서 있다. 마주칠 수 없는, 마치 해와 달 같이 겹칠 수 없는 운명과 영혼이 마주쳐 스치어 지나가면서 현재의 의미가 시간에 새겨진다. 이러한 격류 속에서 너와 나 사이의, 서로 간의 의미가 무엇이 될 수 있을까.

내가 바라고 그리던 그 그림이 될 수 있을까. 반면 나는 너에게 어떠한 의미가 될 수 있을까. 역겹고 추한 삶의 버둥거림이 너에게 있어 한 줄기 의미 없는 엽맥이라도, 너의 곁에 머무는 1초라도 의미가 되어 영원히 남을 수 있기를 바란다.

권태 ♪

사람에게는, 누구에게든 익숙함으로 인한 무료함이 밀물처럼 밀려오는 시기가 온다. 모든 것이 너무도 충만해서 그 어떤 부족함도, 필요도 느끼지 못하는 어떤 순간. 인류는 그 감정에 대해 '권태감'이라 이름을 붙이고 그 감정이 지속되는 시간에 대해 '권태기'라는 이름을 붙여주었다. 모두에게, 무엇에든 당연한 것처럼 여겨지는 그 감정이 이상하리만치 느지막이 다가오는 것 같은 대상이 있다면 혹은 어느 정도 시간이 흘렀음에도 그 무료함이 느껴지지 않는 대상이 있다면 아마도 당신이 마음속 깊이에서 가장 아끼고 사랑하는 존재일 것이다.

철교를 지나는 지하철 안에서 가장 좋아하는 곡을 들으며 보이는 풍경에서, 현관문을 들어서기 전 차갑게 식은 문고리를 붙잡는 손이 멈칫하는 순간에 문득 떠오르는 대상이 있다면 그 대상이 바로 또 당신이 마음속 깊이에서 가장 아끼고 사랑하는 존재일 것이다.

내게는 그러한 존재가 바로 당신이야.

죽순))

세상에 온통 검증할 수 없는 것들이 가득하더라도, 시선이 가는 곳마다 진위 여부를 가릴 수 없는 것들만이 자리를 지키고 있을지라도 당신의 마음만큼은 언제나 진실 되기를 바랍니다. 서로에게 약간 오해가 있을지라도, 상대방으로 인해 서운한 마음이 들었을지라도 새하얀 눈송이처럼 순수하고 포근한 마음으로 품어주고 더욱 아낌없는 사랑을 줄 수 있었으면 좋겠습니다.

어쩌면 당신이 생각하는 것만큼 나는 마음이 넓은 사람이 아니었는지도 모릅니다. 조금 둔감했더라면 더 좋았을 것을. 오히려 당신의 아주 세세한 부분들까지도 내 마음에 파고들어 작은 생채기가 생겼기 때문에 당신에게 적지 않은 서운함을 안겨주게 되었는지도 모르겠습니다. 처음에 비해 잔소리를 많이 한다고, 서운함을 많이 표현한다고 나를 미워하지는 않았으면 합니다. 그것은 예전보다도 더 많이 당신을 가슴에 품고 있기에 더 많이 욕심을 내게 되는 것일 테니 말이에요.

사실 나도 내 마음이 어떻다고 확실히 말해줄 수 없었는데 정말 미안했습니다. 당신에게 늘 웃어주고 싶고 좋은 모습만 보이고 싶었는데 가끔 샐쭉하고 토라지게 되는 것은, 나이에 맞지 않게 아이 같은 모습을 보였던 것은 나도 모르게 나온 행동과 마음들이었고 나 스스로도 그런 행동에 대해 깜짝 놀랄 때가 한두 번이 아니었고 지금은 그런 모습을 보인 것에 후회와 미련을 가지고 있다는 것을 알아줬으면 좋겠어요.

 당신이 이것 하나만 더 알아줬으면 좋겠습니다. 이 세상에 존재하는 모든 것들을 의심하더라도, 아무것도 믿을 수 없는 순간조차 나는 당신이라는 한 사람만큼은 철석같이 믿고 있다는 것을요. 그 어떠한 순간에도, 한파처럼 몰아치는 불안감 속에서도 당신을 향한 사랑만큼은 눈밭에 숨어있는 죽순처럼 꼿꼿하다는 것을 당신이 알아줬으면 좋겠어요.

운명 ☽

    처음 시작부터 우리는 평범하지 않았다. 우리의 시작을 누가 듣기라도 한다면 '그게 뭐야' 라고 할 테고 운명론자들은 '만나게 될 인연이었나 보다' 라고 할지도 모른다. 어쩌면 시작이 너무도 특별했기에 우리가 지금까지 함께 만들어 온, 쌓아 온 시간들은 다른 연인들의 시간에 비해 약간의 갈등이 더 있었는지도 모르겠다. 그럼에도 우리는 지금까지 여러 갈등을 슬기롭게 헤쳐왔고 함께이기에 견뎌낼 수 있었음에 나는 감사하다. 우린 앞으로 지금까지 쌓아온 날들의 10배, 100배 이상의 시간을 함께 만들어갈 것이고 그 시간 사이의 우리 앞에는 적잖은 고난이 기다릴지 모른다. 하지만 나는 믿는다. 우리의 앞에 어떠한 길이 놓일지라도 우리는 쓰러지지 않고 걸어갈 것이라고. 지금 내 앞에서 웃고 있는 그대와 함께이기 때문에.

    세상에 존재하는 많은 말들이 있고 그 모든 말에도 제각각 너와 나를 위하는 말들이 담겨 있다.

    지금 이 순간 너와 내가 함께 공유하고 있는 고민에 대해서도 수많은 걱정과 염려, 동정과 배려를 위시한 많은 말들이 쏟아질 것이다.

하지만 그 어떤 순간에도 우리가 조언을 구하지 않았을 때 나오는 이야기들에 귀를 기울이기보다는 너와 나의 안에서 메아리치는 목소리를 듣는 것이 더 낫지 않을까 싶다. 우리의 선택이 정답은 아니더라도 다른 의견에 귀 기울이지 못한 것을 후회할 필요는 없잖아.

우리에게 가장 중요한 것은 서로의 의견이자 서로의 목소리니까.

고백 ♪

항상 나에게 웃음만을 보여주던 너에게 어떤 아픔이 있는지 나는 미처 알지 못할 때가 많았다. 너는 내가 볼 수 없는 곳에서 혼자 보이지 않는 눈물을 흘리며 소리 없는 울음을 삼키곤 했을 것이다. 너를 다독여주고 싶었지만 그럴 수 없을 만큼의 시간이 흘러간 후에 다시 너는 내 앞에서 환한 웃음을 지어주려 했을지 모른다. 아프고 속상해하는 너의 모습을 내게 보이고 싶지 않았던 것은 어쩌면 네겐 당연한 일이었겠지만 내가 어찌할 방법이 없는 곳에서 숨죽여 울고 속상해할 너를 생각하면 괜히 내 가슴이 아파오곤 했다. 저만치 우리가 함께할 수 없는 어느 곳에서 혼자 한숨짓고 있을 너를 나는 마음으로 달랬다.

내가 네게 하는 사랑한다는 말은 입이 아니라 가슴에서 나오는 것이기에 네 마음으로 닿기까지는 조금 시간이 걸릴지 몰라. 하지만 네가 힘든 어느 순간에 문득 내 사랑이 떠올라 조금이나마 눈물이 닦여나갈 수 있다면, 너라는 사람을 품고 있는 내 사랑이 사무치게 네게 다가갈 수 있다면 그것으로 된 거야. 나의 마음도, 너의 사랑도 그 뿌리가 너무도 깊은 곳에 자리하고 있어 서로의 눈에는 보이지 않을지라도.

혼자인 것이 너무도 버거울 때는 느낄 수 있었으면
좋겠다. 산들바람에 나뭇가지가 흔들리며 나는 싱그러
운 향기처럼 네 가슴에 잔잔하게 불어오는 위로와도
같은 바람으로 나의 사랑이 느껴졌으면 좋겠어.

위로 ☽

가끔 내가 하는 말 하나하나에 화가 날 때가 있을 거야. 가끔 혼자 있고 싶은데 내가 자꾸 건드려서 짜증이 치밀어오를 때가 있을 거야. 괜히 내가 웃는 모습만 봐도 기분이 나쁘고 미워 보이는 그런 순간도 가끔은 있을 거야. 누군가를 1년 365일 24시간 내내 예뻐하고 사랑하고 좋아하기만 할 수는 없는 거니까.

어떨 때는 눈에서 심장이 튀어나올 것처럼 가슴이 쿵쾅거릴 때도 있고, 어떨 때는 여보세요 하는 소리마저 듣기 싫어 전화를 끊어버리고 싶은 욕망이 부글부글 끓어오를 때도 있을 테지.

그래도 나를 그렇게까지 미워하지는 말아줘. 시간이 흘러 마음이 진정되었을 때 미안해하지도 말고. 나 또한 가끔 네가 하는 말과 행동들에 상처를 받을 때도 있지만 네가 변함없이 내 곁을 지켜줄 것이란 걸 알기에 나는 괜찮아. 미안해해야 하는 것은 그런 기분을 가질 수 밖에 없는 네가 아니라 너에게 그런 감정을 느끼게 만든 주변 환경들이니까.

자격 ☽

뜨거운 아스팔트 보도를 식히는 차가운 비가 내리던 밤, 나란히 걸으며 가만 생각하다가 그냥 와락 너를 안아버렸다. 내가 무슨 행동을 하고 있는 것일까. 흠칫 놀랐지만 너를 끌어안은 팔을 거둘 수가 없었다. 그 날 이후, 너는 늘 나의 팔 안에 있었고 나의 가슴을 늘 너의 머리칼이 간지럽혔다. 그렇게 너는 어느 순간부터인가 내 가슴속으로 자박자박 걸어 들어왔다.

사랑이었다.

사랑이라는 것을 알면서도, 너 역시도 나에게 마음이 있다는 것을 알면서도 문득 드는 생각은 너의 곁에 내가 있을 자격이 될까? 라는 못난 생각이었다. 그래서 너에게 더 심통을 부리고 안절부절못했던 걸지도 모르겠다. 그런 내게 '너는 내게 특별한 사람이야' 라던 너의 말은 늘 힘이 되었고 계속 너의 손을 붙들고 있을 수 있는 힘이 되었다.

어쩌면 네 곁에 있을 수 있는 자격이 있다고 느끼게 된 것은 모두 너의 따뜻한 말 덕분일지도 모르겠다.

서로))

먼 미래엔 우리가 서로에게 감사할 일보다 용서할 일이 더 많을지도 모른다. 서로로 인해 웃을 날보다 목소리 높이고 얼굴 붉힐 일이, 서로에게 상처주는 날들이 더 많을지도 모른다. 이런 좋지 못한 생각을 하고 있음에도 불구하고 내가 그대 곁에 있겠다고 계속해서 다짐하는 것은 그 세월들이 모두 지난 뒤에, 나 세상을 떠나게 될 날이 올 때 그대 곁에 있기를 잘했다고 생각하게 될 것을 믿기 때문이다. 어느 날엔가 서로에게 불만이 조금 있을지라도, 괜히 비 오는 날에 양말이 젖어 투덜거리듯 내 모든 것이 마음에 들지 않는 날이 있을지라도 그대의 젖은 마음은 내가 말려줄 것이다. 그대와 나, 서로가 서로의 햇빛이 되어주고 우리의 마지막 날까지 서로의 버팀목이 되도록 노력할 것이다.

나의 어린 시절에는 상자 하나로도 꿈을 지을 수 있었다. 내가 집을 원하면 집이 되었고 차를 원하면 차가 되었다. 원하는 모든 것이 되어주었던 그 큼지막한 상자는 나이가 들어갈수록 초라하고 작아지며 길가에 굴러다니는 별 것 아닌 물건이 되기 시작했다. 그랬던 나에게 그대라는 존재가 하나의 꿈을 짓는 상자가 되어 삶에 들어왔다.

아니, 내가 그대의 삶에 들어간 것일 수도 있겠다. 내 한 몸을 누이고도 남을 공간의 큼지막한 그대라는 상자 안에 나는 나의 꿈과 희망, 함께하는 미래를 담았다. 차곡차곡 함께한 시간들도 추억으로 담겨갔다. 그대의 행복이 나의 꿈이 되었고 그대 곁이 내가 꿈을 꾸는 공간이자 함께 나누는 시간이 되었다.

마치 성탄절의 선물 상자와도 같이 그렇게 그대는 잠든 내 머리맡에서 단잠이 되었다. 이런 걸 그대와 나, 서로가 서로의 햇빛이 되어주고 서로의 버팀목이 되어주고 있다라고 말하는 거겠지?

선물))

올 한 해, 남은 시일 내에 꼭 하고 싶은 일이 생겼
다. 남들이 봤을 때는 그리 대단한 것은 아니지만 나에
게는 내 인생을 걸 만큼 대단한 일이다.

네가 늘 행복할 수 있도록 최선을 다하는 것.

그 어떤 순간에도 울 일이 없게 하기, 무슨 일이 있
어도 네 손 놓지 않기, 네 행복에 단 한순간도 내가 없
는 날이 없도록 하기.

너만 마음먹으면 그럴 수 있을 것 같다. 내가 행하는
모든 최선은 오롯이 너를 향한, 너를 위한 것이었으니
까. 앞으로도 그럴 것이고. 너의 불안, 의심. 그 모든
것을 모르는 바가 아니기에 더욱 너의 곁에 있고 싶고
어떤 순간에도 너의 연인으로 있으며 내 마지막 순간
에 네가 내게 '너를 만나 행복했다' 말할 수 있었으면
좋겠다. 내가 바랄 수 있는 최선의 소원이다.

하지만 너에게 무언가 선물을 해야 하는 기념일이 올
때마다 나는 적잖이 심각한 고민에 빠지곤 했다. 사계
절을 함께한 짧지 않은 시간 동안 너의 기호를 정확히

파악하지 못했던 것에 대한 자책도 있었다. 그저 내가 해주고 싶은 대로 너의 편안한 걸음을 위해서 신발을 선물해주기도 했고, 치장하는 것을 좋아하는 것 같아 귀걸이와 목걸이 등을 선물하기도 했다. 가끔은 그대에게 어울릴 것 같은 가방을 선물하기도 했다.

가만히 돌이켜보면 사실 내가 건네는 선물이 어떤 물건이었는지는 그리 중요하지 않았던 것 같다. 그대는 내가 주는 물건을 받은 것이 아니라 그 물건을 준비하고 고르며 그대를 그리는 나의 시간을 들여다봤던 게 아닐까 싶은 생각이 들었다.

그렇게 언제나 표면적인 것보다 조금 더 깊은 부분을 들여다볼 줄 아는 그대의 모습에 나는 오늘도 그대에게 반했다.

문제 ☽

인생이라는 문제에 정답이 있다면, 그대는 내게 가장 큰 힌트가 될 것이다. 혼자서는 풀 수 없을 것만 같았던 문제에 점차 답을 써 내려가기 시작하게 되었으니 말이다. 몇 천, 몇 만 자를 더 써야 이 길고 긴 답안지의 공백을 채워낼 수 있을까. 몇 천, 몇 만 일이 지나고 내가 연필을 잡을 힘조차 없어질 때까지 나의 곁에 그대가 있어주면 좋겠다. 답안지의 마지막 마침표를 찍는 순간 자꾸만 콩닥이던 나의 심장도 멈출 것이며 너만을 향해 있던 눈동자의 총기도 사라지겠지만 그대와 함께 풀어 내려간 해석과 은하수 흩뿌리듯 써 내려간 우리의 추억과 역사는 다시없을 인생이라는 문제의 정답일 것이다.

신뢰와 사랑이 호수 수면에 흩어진 별빛처럼 산산이 깨지고 흐트러진 채로 내가 걸어가야 할 길 앞에 놓여 있을지라도, 내가 그 모든 것을 끌어 모아 한 주머니에 담아가지는 못할지라도 너를 만나기 전으로 돌아갈 수는 없을 것이다. 조각 하나하나가 너와의 추억이며 사랑의 흔적이었고, 결국 깨트리는 것은 천방지축으로 뛰놀던 아이가 유리잔을 엎지른 것처럼 못난 나 때문일 것이기에. 오롯이 내가 걸어야 할 길이며 네 곁에서 서기 위해 겪어 마땅한 삶의 내일이기 때문이다. 흙길에 선혈을 새기듯 절뚝이는 걸음마다 어떠한 괴로움이 있을지라도 그 역시 네가 있기에 행복일 것이다. 언젠가 발바닥의 상처에 굳은살이 생겨 더 단단해진 나는 너를 향한 더욱 곧은 걸음을 디딜 수 있을 것이고, 엉겨 붙은 조각들은 한결 단단한 신발이 되어줄 것이니 말이다.

기적 　♪

　철 이른 꽃이 앞선 계절에 핀다는 것은 그 얼마나 기적 같은 일일까. 그 기적을 함께 마주하며 다음번에 올 기적까지도 함께하기로 약속할 사람이 곁에 있다는 것은 그 얼마나 더 아름다운 일일까. 나에겐 그런 사람이 그대이기를 언제나 간절히 바라본다. 그런 내게 그대가 바라는 모습들을 숨기지 않고 말해주는 것이 참 고마웠다. 가끔은 상처가 되어 심장을 깊게 후벼 파는 고통일 때도 있지만 점점 그대와의 시간을 함께할 수 있는 사람이 되어간다는 것에, 변해가는 나 자신을 볼 수 있다는 것에 너무도 감사하다. 다음 주면 봄꽃들이 시들지도 모른다. 하지만 이 다음에 우리가 함께 손을 맞잡고 마주하게 될 기적은 고작 이른 봄꽃 따위가 피는 것이 아니라 영원이라는 시간을 함께하는 사람이 서로라는 것이라고 나는 감히 생각해본다.

　진짜 나를 감춰둔 채로 짧은 글줄로 그대를 향한 사랑을 표현하는 것은 아직 모든 것을 다 내어 보여주지 못하는 나 자신에 대한 수줍음과 부끄러움 때문인지도 모른다. 아직 그대가 나를 확신에 찬 언어로 보기에는 내가 너무도 작고 하찮아 보일 수 있기에 그대를 제외한 모든 이들에게는 나의 이름을 감춘 채로 글을 쓰게 되는 것인지 모른다.

허나, 언젠가 그대가 세상 그 무엇보다도 아름다운 말을 내 귓가에 서슴없이 속삭이게 될 때, 그 어느 곳에서라도 내 이름 두 글자를 자신 있게 내보일 수 있을 때, 내가 그럴 만한 사람으로 그대 가슴에 오롯이 새겨질 때. 그때는 나의 가려진 이름을 벗고 내 이름 두 글자를 내보이며 그대의 연인이라는 새로운 이름을 세상이 알게 할 거야.

증명 ♪

봄날 아스팔트 위에서 피어오르는 아지랑이처럼, 땅에 부딪히며 산산이 조각나 흩어지는 햇살 조각들처럼 너는 내게 박혀왔었다. 이토록 아름다운 너를 어떤 말로 표현할 수 있을까.

어느 눈부신 아침. 그보다도 빛나는 너의 잠든 얼굴에 입 맞추며 잠에서 깨어 세상 누구도 마주하지 못했을 사랑 가득한 아침을 맞이한다. 나의 하루가 오롯이 너의 하루가 되고, 내가 그리는 미래가 온전히 너와 함께하는 내일이 되며, 우리가 함께한 어제는 가지런한 추억으로 앨범에 맺힌다. 오늘 이 햇빛이 하루의 빛을 다 태우고 사그라들 때까지 너와 나는 또 어떤 추억으로 하루를 새겨가게 될지 눈뜨는 순간부터 설렘이 가득하다.

사랑해, 사랑한다. 그 애틋한 말을 속으로 수없이 되뇌고 몇 번을 입 밖으로 내었는지 모른다. 지금 당장은 줄 수 있는 것이 이 뿐이라서 너에게 수없이 같은 말을 반복했다. 말을 하기는 쉬우나, 그 말에 실린 무게를 책임지는 것은 그 얼마나 어려운 일인가. 너와 함께할 길고 긴 날들 중에 나의 사랑한다는 말을 증명하지 못하는 순간이 종종 있을지도 모른다. 어쩌면 안일했고 안심했는지도 모르며 혹은 어떠한 순간에도 네가 곁에 있을 것이라 내 멋대로 믿어버렸을 수도 있다. 하지만 조금씩, 아주 작은 걸음이지만 내 말의 책임을 네게 보여줄 수 있도록 증명해가려 한다.

그 과정에 얼마나 많은 시험과 고난이 있으며, 얼마나 큰 노력과 다짐과 실행이 필요할지 모르지만 너의 곁에서 너의 사람으로 있기 위해 나는 최선을 다해보려 한다.

믿음 ♪

참 다행이다. 이 길만 따라가면 되니까. 저 멀리에 어렴풋이 보이는 밝은 빛은 틀림없이 출구일 것이고, 양편에 2~3미터 간격으로 밝혀진 주광색 등은 내가 갈 수 있는 길을 밝혀주고 있으니 말이다. 갈림길이 있는 것도 아니고 정지 신호등이 있는 것도 아니다. 그저 이 길 그대로 묵묵히 사랑을 노래하며 내 목소리가 울리는 터널의 뱃고동 같은 소리를 들으며 걷다 보면 어느덧 너의 곁에 있을 것만 같았다. 경주마처럼 너의 곁을 향해 앞만 보고 달릴 수 있게 해준 이 터널이 너무도 고맙다.

아침 해가 저만치 어딘가에서 떠오르는 순간부터 어둑하게 땅거미가 내려앉은 밤까지 내가 치켜다 본 하늘에는 늘 당신이 있었다. 잠들기 전 창을 열어 칼바람이 부는 밤하늘을 바라보며 손을 뻗어 하늘의 옷자락을 잡아본다. 그대의 옷자락을 잡아 내 곁에 앉혀두고 이 밤이 가는 것을 함께 보지는 못할지라도 그대도 바라보고 있을지 모르는 저 넓은 하늘의 모습을 눈에 가득 담아 보는 것이다.

언젠가 똑같은 하늘의 모습을 둘이 나란히 앉아 따뜻한 커피 한 잔을 마시며 올려다볼 때 '그때도 이런 하늘을 바라보고 있었지.' 라며 싱긋 웃으며 서로의 눈동자를 들여다보는 그런 날이 머지않아 올 것이라 믿으면서 말이다.

기록 ☽

비가 내리기 위해선 구름이 자신의 몸을 물기로 가득 채워 무겁게 내려앉아야 한다. 봄꽃을 피우기 위해 나무는 한겨울 눈의 무게를 홀로 견뎌내어야 한다. 나와 그대에게 다행인 것은 결국 홀로 견뎌야 하겠지만 그 무게를 잠시나마 잊게 해주는 서로가 있다는 것이다. 어쩌면 서로가 조금 더 짐이 될 수 있겠지만 그 무게는 비 맞은 소금 가마니처럼 점차 덜어질 것이다. 처음부터 모든 것을 견뎌낼 수는 없겠지만 우리의 무게를 함께 견딤으로써 조금 더 단단하게 스스로를 이루어갈 것을 믿는다. 그것이 내가 그대를 사랑하는 방식이고 그대에게 내리는 비를 조금이나마 내가 대신 맞으려 하는 작은 이유다.

나는 그대의 모든 것들을 하나하나 기록해두고 싶은 사람이다. 이름, 생일과 같은 너무도 당연한 내용들부터 시작해서 습관, 취미 등 어쩌면 나만이 알고 있을 것 같은 이야기들까지. 이것은 그대만의 이야기가 아닐지 모른다. 그대와 함께 해 온 나의 역사이자 우리의 이야기이자 내게 보이는 그대라는 사람에 대한 기록일 것이다. 그대에게 보이는 나의 모습은 조금은 어리고 철없는 아이의 모습이겠지만 우리는 알고 있다.

서로가 얼마나 상대를 생각하고 있는지, 걱정하고 있는지. 우리 서로가 얼마나 소중한 존재인지를 말이다. 그렇기에 그대의 모든 것을, 사소한 것까지도 다 알고 싶고 기록하고 싶다.

투정 ☽

내가 딱 하나 너에게 바라는 것이 있다면 너의 관심 안에 내가 조금 더 깊이 들어가는 것이다. 이미 네가 할애할 수 있는 이상으로 애정과 관심을 내게 쏟고 있다는 것을 알고 있지만 대부분의 이들이 그러하듯 나역시 네가 조금 더 나를 신경 쓰고 봐주기를 바란다. 당장은 아니어도 좋다. 지금 너의 모든 것이 내게 쏟아지지 않아도 좋다. 지금으로서는 너의 따뜻한 눈길이 내게 한 번 더 머무르는 것, 네 따스한 손이 나를 한 번 더 잡아주는 것. 그것만으로도 내게는 충분한 행복이고 너와 함께할 날들에 대한 꿈을 꿀 수 있으니.

그냥 왠지 당신에게는 그래요. 좀 더 나를 많이 봐줬으면 좋겠고 아무리 사소한 일상에서라도 나를 생각해 줬으면 좋겠어요. 너무 바빠서 주위를 둘러볼 수 없을 때에도 내가 곁에 있었으면 하고 그리움에 잠겨 주었으면 좋겠어요. 함께 있을 때는 다른 생각하지 말아요. 어떻게 하면 우리가 같이 있는 시간을 더 즐겁게 보낼 수 있을까 그것만 생각해줘요.

맞잡은 손이 땀으로 인해 촉촉해져도 손 놓지 말아요. 가끔은 수줍은 듯 대담하게 입맞춤도 해주세요.

데이트를 마치고 헤어지는 순간에는 발걸음을 늦춰주세요. 내가 당신의 뒷모습을 오래도록 바라볼 수 있도록, 당신과의 하루를 행복한 마음으로 계속 곱씹을 수 있도록. 너무 많은 투정을 부려서 미안해요. 하지만 모든 순간마다 당신을 너무 좋아해서 그런 거니까 그저 당신을 참 많이 사랑하는구나 라고 생각해주세요.

약속 ♪

　누군가에게 느끼는 연애감정이 호르몬의 장난이라고, 그 자극이 끝나면 사랑하는 감정마저도 변한다는 얘기를 언젠가 들은 기억이 납니다. 애정에도 유효기간이 있다는 말을 들은 적이 있습니다. 하지만 왜인지 모르게 그대를 대하는 나에게는 그런 과학적인 논리와 연구결과마저도 통하지 않는 모양입니다. 틀림없이 그 유효기간이 지났음에도 그대를 보면 여전히 가슴이 설레고, 사랑하는 감정이 밀물처럼 밀려오는 것을 보니 말입니다. '사랑은 움직이는 거야.' 라던 한 광고의 카피 문구도 있었지만 내 사랑은 그 역시도 해당되지 않을 것 같습니다. 마음이라는 것을, 감정이라는 것을 장담할 수 없다고는 하지만 내 사랑이 그대를 향해 오늘 떠오른 태양보다도 밝게, 그대가 내 곁에 있는 한 영원히 내리쬘 것을 나는 그대에게 약속합니다.

　내가 이런 약속을 당당하게 할 수 있는 것은 당신의 화법이 내가 일반적으로 그러려니 하는 여느 여자와는 조금 다르기 때문인 것 같아요.

　은근슬쩍 무언가를 원하는 듯 돌려 말하는 법도 없었고 내게 의지하는 경우도 드물었어요. 길을 가다가

예쁜 것을 보았을 때 "이거 예쁘다." 라는 말은 갖고 싶다는 의미가 아니라 정말 예쁘다는 뜻이 담긴 감탄사인 것처럼 말이에요. 그냥 그런가 보다 하고 지나갈 수 있는 당신의 말 한마디 한마디가 내게는 왜 그냥 지나칠 수 없는 말인 것일까요.

당신의 미세한 눈꺼풀의 떨림이라던지 전화기 너머로 들려오는 한숨 소리, 민망할 때 짓는 수줍은 미소, 그 모든 순간순간을 사진으로 찍어 남기듯 늘 진지하고 새심하게 살피며 당신 곁에 있어 줄게요.

진심을 다해서.

우정 ♪

전화기 너머로 들려오는 그대의 목소리가 약간 변해 있었다. 말투도 음색도 평소와 크게 다를 것이 없었음에도 마치 작은 오리털이 패딩 밖으로 비집고 나온 것을 본 듯이 나의 온 신경을 훔치는 작은 변화가 있었다. 그런 그대에게 조심스레 물었다.

"무슨 일 있어? 말해봐."

"무슨 일은, 별 거 아냐...."

그대에게 별거 아닌 일일지라도 나에게는 큰 의미를 가진다는 것을 그대는 알고 있을까. 내 코트에 묻은 작은 먼지 조각까지도 발견하고 떼어내 주는 그대처럼 아주 작은 변화까지도 자꾸만 눈에 들어오는 나라는 것을 알고 있을까. 그대의 사소한 떨림과 미세한 움직임, 가느다랗게 떨리는 그대의 목소리까지도. 내 모든 감각기관의 신경이 그대에게 집중해 있음을 그대는 알고 있을까.

어떤 아픔이 있는지 잘 모르겠지만 어떤 일이 있더라도 늘 그랬듯 그대 곁을 떠나지 않고 지켜줄 것이다. 그대가 힘들 때는 언제나 내가 손을 잡고 지탱해줄 것이고, 그대가 지쳐 보일 때는 나의 어깨에 기대 잠시 편안하게 쉴 수 있도록 도와주며 이내 나의 어깨에 그대의 팔을 걸고 절뚝이는 걸음으로라도 어떻게든 일어나서 걸어갈 수 있도록 도와줄 것이다.

그것이 그대와 나의 사랑이니까. 단지 어느 순간에 만난 한 남자와 여자의 사랑이 아닌 그 이상의 깊은 무언가를 가지고 있는 끈끈한 관계이니까. 사랑이라는 감정보다도 오래 지속될 수 있는 감정. 그것이 그대와 나 사이의 우정 일지 모른다. 설령 서로를 사랑하지 못하는 어떤 한순간이라도 평생을 함께 살아가는 동반자 혹은 친구로서의 우정은 그 어느 순간에라도 빛이 바래지지 않을 것임을 믿는다.

밤하늘 ☽

잠든 그대 귓가에 살근살근 속살거리던 그 부끄럼 없는 수많은 언어들을 창백한 두 손에 맞잡아 들고 이제는 함께 건너가요. 우리 언젠가 서로에게 들려주려 했던 그 낡아 빠진 마음들을 한 움큼 집어 들어 남겨진 발자국들을 덮으며 환상도, 어지러움도 모두 이겨낸 서로를 안아주도록 해요. 이제는 괜찮다고 수고했다고 서로 돌아온 먼 길에 용서를 구해줘요. 이제는 외로움에 떨지 않도록 영원히 밤이 반복되는 이 세계를 멈춰주세요.

검은 물결이 몰아치는 그 눈동자를 들여다보다 겁도 없이 그 속에 뛰어든 나를 기억해줘요. 해가 들지 않는 늪으로 곤두박질치면서도 당신을 향해 웃던 그 체온을 떠올려 줘요. 두 개의 달이 뜬 하늘 아래에서 약속해줄 수 있나요? 이제는 내 곁에서 떠나지 않겠다고, 혼자 두지 않겠다고. 날이 저물 때 부는 바람으로 파도가 돌아갈 때 건네는 작은 인사말로 채 피지 않은 작은 꽃봉오리로 그렇게 곁에 있겠다고.

우리가 머무는 우주가 끝나는 순간에도 당신 주변을 맴돌고 있을게요. 슬픔이 세상을 삼키기 전에 내가 부르는 고요한 노래를 들어주세요. 이 작은 몸을 태워 내는 빛을 영원히 그 가슴에 새겨주세요.

온갖 거짓과 착란이 떠도는 이 세상에서 내가 찾아 낸 유일한 확신인 검은 별. 당신에게만큼은 영원만을 주고 싶고, 절대 흐트러지지 않을 사랑을 주고만 싶어 요. 그러니 창을 열고 기다려줘요.

내가 그 틈으로 쏟아질 오늘 밤의 은하 속에 있을 테니 두 팔 벌려 힘껏 끌어안아 주세요. 이제는 울지 않으니, 의심하지 않으니 그저 있는 그대로 나를 이끌 어 주세요. 오래전 나에게 생을 주었던 처음 날의 밤하 늘처럼.

소중함 ♪

살아온 환경이 다른 두 사람이 살아오면서 부딪히지 않을 수는 없다. 너와 나 역시 그러했다. 가진 것이 없는 나와 내 입장에서 동경할 만했던 너. 항상 너에 대한 원망보다 동경과 너의 모든 것을 내가 갖고 싶다는 열망으로 가득했다. 너의 삶이 내 삶이 되기를, 나의 삶이 네 삶의 일부가 되기를 언제나 바라왔다. 너와 내가 서로 사랑하고 서로가 없어서는 안 될 존재가 되길 바라며 내가 할 수 있는 최선을 다하려 했다. 지금 역시도 그렇다. 오늘 이 순간조차도 나는 너에게 최고의 연인이고 싶고, 너는 늘 내게 최고의 연인이길 바란다. 네가 어떤 상황에 있든 그것과는 무관하게 나는 너를 사랑한다. 너를 아끼고 너 없는 삶을 나는 그리지 못한다. 내 인생의 전부가 네가 되어 버렸다.

오늘의 태양이 저무는 순간에도 너는 여전히 찬란하고 아름다웠다. 지금 내 곁에 너를 있게 해 준 세상에 감사한 마음을 담아 하루를 떠나보냈다.

세상에 내리는 빛이 모두 쓰러지고 한 치 앞을 분간할 수 없는 어둠 속에서도 너는 그저 한 줄기 빛으로 내 곁에 있었고 무한히 밝은 광체를 번뜩이며 나의 맥없는 두 손을 잡고 웃어주었다. 이 밤이 가고 새로이 밝아올 아침. 그때에도 내가 잡은 너의 이 손은 여전히 따뜻할 것이라 믿는다. 힘들고 고통스러운 순간은 올해와 마찬가지로 내년에 또 찾아오겠지만 그 어느 순간에도 너라는 빛줄기를 등불 삼아 올해와 마찬가지로 난 늘 잘 이겨낼 수 있을 거라 생각한다.

내겐 그만큼 네가 소중하다.

돌밭길 ☽

　당신이 걸어왔을 삶의 돌밭길을 가만히 떠올려보다가 툭하고 눈물 한 방울을 떨어뜨리고 말았다. 그 길 위에 있었을 가장 뾰족한 돌 하나 주워 내 발치 앞에 가져다 둘 걸 그랬다. 당신이 조금이라도 더 편한 길을 걸었으면 좋겠어. 그 여리고 부드러운 발바닥에 찢기고 긁힌 상처가 하나라도 없었으면 좋겠어. 피로한 발자국을 옮긴 뒤 곤히 잠든 그대의 얼굴을 들여다보다가 가만히 그대의 작은 발을 어루만져 본다.

　이 발이 지탱해 온 무게는 얼마나 무거운 것이었을까. 가녀린 당신의 두 어깨가 지고 온 삶은 또 어떠하였을까. 내 지나온 가시밭길과 당신이 걸어온 돌밭길이 이 자리에서 하나로 합쳐져 적잖이 거칠고 황량한 길이 되었지만 당신이 함께이기에 겁나지 않는다. 뽀송한 솜털이 내 뒷덜미를 간지럽히게 당신을 등에 바짝 업고 오롯이 함께한다면 저 끝없이 펼쳐진 길은 눈물 없이 걸어볼 만할 것 같다.

　하얀 입김이 피어나며 당신의 입술이 열린다. 가녀린 성대를 진동시키며 튀어나온 예기치 못한 말.

'사랑해'

앞으로 더 나아가기엔 지친 나의 표정이 스르르 녹아
풀리는 것을 느낀다.

매일 아침 알람 소리에 눈을 떠 잠시 멍하니 천장을
바라보는 잠깐의 그 순간, 당신이 내 옆에 있지 않음이
가끔은 다행으로 느껴지기도 한다. 매일 아침 처음 보
는 것이 당신의 모습이라면 눈을 떼기 싫어질 것 같아
서.

그럼에도 당신과 함께할 미래를 꿈꾸고 당신에게서
사랑이라는 말을 갈구하는 것은 나의 앞날을 아무리
그려보아도, 앞으로 걸어 나가야 할 길의 여정을 상상
해보아도 당신이 네 곁에 없는 순간이 단 하루도 없었
기 때문이다.

눈사람 ♪

내 키만한 눈사람을 만들어 집 앞에 세워놓았다. 어깨동무를 하고 사진도 찍어보고, 모자를 푹 눌러 씌워주기도 했다. 며칠이 지나도 늘 그 모습 그대로일 것 같던 녀석은 조금씩, 알게 모르게 작아져 갔고 이윽고는 그 원형조차 알아볼 수 없는 추한 모습이 되어 있었다.

그때 생각했다. 만약 눈사람 곁에도 사랑할 수 있을 만큼 어여쁜 다른 눈사람이 있었더라면 자신의 존재를 어떻게든 남기려 하지 않았을까 하는 생각을. 내가 그대로 인해 더 멋진 삶을 살기 위해 발버둥 치는 것처럼 이 녀석도 그랬을지 모른다. 그대가 있음으로 내 삶은 더욱 찬란하고, 아름다우며 또한 행복으로 충만하다. 오늘 하루도 역시나 그러했고 내일도 그러할 것이다.

수백 번 사랑한다 말하고 수천 번 너를 끌어안아 보아도, 그럼에도 가슴속의 공허함이 지워지지 않는 이유는 무엇일까. 아무리 생각해 보아도 그 답은 너를 향한 내 마음이 그런 말이나 행동만으로는 표현될 수 없을 만큼 크기 때문인 것 같다.

말도 안 되는 투정과 잔소리에도 그저 싱긋 웃어주는 너의 모습이 고마워 나는 괜히 눈물이 난다. 어떤 일이 있어도 내 곁에 있겠다며 다짐해 주는 너의 모습을 보며 오늘 하루도 내 온 마음을 다해 너를 사랑하겠다고 다짐해 본다.

항상 행복하기만 할 수는 없겠지만, 가끔은 다투고 서로에게 서운한 마음에 하소연도 하겠지만 그럼에도 늘 내가 너의 곁에 있을 것임에, 그 사실에 네가 한 번 더 웃어주기를 간절히 바라본다.

안아줘 ♪

　사랑은 받는 것보다 주는 것이 더 행복하다고 누가 그랬던가. 그 말이 틀린 것인지도 모르겠다는 생각이 문득 들었다. 사랑은 받는 것도, 주는 것도 하나같이 행복한 일이고 그에 있어 우열을 가리기는 결코 쉽지 않은 일이다. 사랑은 받기만 하는 것도, 주기만 하는 것도 어느 한 순간에는 지칠 것이기에 나의 사랑을 주고 또 네게서 사랑을 받고 싶다.

　사랑은 등가교환이 되는 것이 아니기에 너에게 주는 사랑만큼 똑같이 받을 수는 없을 거라는 것은 알고 있다. 어쩌면 내가 생각하는 것 이상으로 나는 네게서 큰 사랑을 받고 있는 것일지도 모르고 혹은 내가 네게 준 사랑만큼 받지 못했을 지도 모른다. 다만 내가 확실히 알 수 있는 것은 너에게서 내가 사랑받고 있다는 사실. 그것만큼은 알고 있다. '안아줘' 라고 네게 말하는 것은 너의 사랑을 다시 한 번 확인하는 행위다. 마음에서 마음으로 전해지는 사랑을 너의 온기와 손길로 체감하는 과정이고 그럼으로써 나의 사랑을 다시 한 번 네게 전하는 행위다.

　아이 같다며 너는 가끔 핀잔을 주지만 그럼에도 여전히 너의 체온만큼이나 따뜻한 사랑을 느끼고 싶었다. 오늘도 네가 나를 꼭 안아주면 좋겠다.

너의 인력 ☽

너의 인력은 태양의 인력보다 강력한 것이었는지도 모른다. 처음 너와 말을 섞은 순간, 약속에 늦어 뛰어오는 너를 본 순간, 너의 환한 미소에 아득한 시선을 빼앗긴 순간. 그 모든 순간에 나는 너에게 빠져 버렸고 너를 중심으로 공전하는 행성이 되어 버렸다. 네가 거느린 행성이 몇이나 될지 모르겠지만 지금은 나 하나였으면 좋겠어. 너의 주변을 홀로 맴돌며 너를 외롭지 않게 하는 그런 사람이 오직 나뿐이었으면 좋겠어. 서로가 힘들고 지칠 때면 가장 먼저 찾게 되고 기대어 울고 싶은 사람이 서로였으면 좋겠어. 그렇게 나는 오늘도 네 주위를 한 바퀴 돌며 오늘의 감정은 괜찮은지, 아픈 곳은 없는지 순찰을 한다.

내가 너를 사랑하지 않았더라면 지금의 나는 없었을 거야. 예쁜 것을 보면 네가 가장 먼저 생각나고 재미있는 것을 보면 너에게 가장 먼저 얘기해주고 싶고 좋은 노래를 들으면 너와 이어폰을 한쪽씩 나누어 끼고 듣고 싶어. 둘이 함께 기차를 타고 멀리 떠나고 싶어. 우리를 아는 사람이 아무도 없는 그곳에서 하루쯤 현실을 잊고 지낼 수 있는 그런 여유가 우리에게 있었으면 좋겠어. 홀로 서로를 그리워하기만 하는 것이 아니라, 함께 더욱 아름다운 사랑을 나눌 수 있는 그런 시간들이 계속되었으면 좋겠어.

삶의 증거))

그래 우리가 무슨 잘못이 있겠어. 다들 아픔을 지고 살아가잖아. 눈먼 채로 사막을 건널 뿐이잖아. 휘몰아치던 바람도, 발을 찔러 오는 가시도 견뎌내지 못해 주저앉은 우리는 왜 서로를 미워하며 울어야만 하는 걸까. 사막 한가운데서 바다를 사랑한 우리는 언젠가 한 줌의 먼지가 되고 사막에 남겠지. 그토록 미워한 것들이 자신이 되어버리면 그걸 살아가는 거라고 말할 수 있을까. 그저 바람에 떠밀려 나아가는 거라면 삶을 이겨냈다고 말할 수 있을까. 그러니 우리는 걸어가자. 뜨거운 모래 위를 상처 난 두 발로 걸어보자. 하나 다행인 점은 사막엔 길이 없다는 거야. 그러니 눈먼 우리끼리 손을 잡고 태양의 비웃음 따위는 무시해가며 이 목마름이 그칠 때까지 발을 내딛자. 그러다 혹시나 바다를 만나면, 반가운 물 냄새가 우리를 감싸 안으면 그제야 조금 눈을 붙이는 거야.

우리는 누구보다 서로의 아픔을 잘 아니까 애써 웃어 보이려 하지 않아도 괜찮아.

그때는 울자. 우리 눈물이 새로운 물길을 만들 때까지 남은 것은 아무것도 없을 때까지 흘려보내는 거야. 그 물길들은 커다란 바다가 될 거고, 그 바다는 우리가 살아남았다는 증거가 되는 거야.

너를 위한 ☽

딱 그쯤이었던 것으로 기억한다. 너를 처음 만났던 그 날 내 옆에 선 자그마한 너의 키는 내 어깨선을 약간 넘을 정도였다. 산뜻한 향수가 은은하게 코끝을 간지럽혔고, 너의 미소는 그저 무한히 눈부셨다. 우리가 처음 만났던 무더웠지만 화사했던 여름밤, 여름이 가고 가을 소슬바람이 우리 곁을 스치듯 어제로 멀어졌다. 그리고 매섭게 몰아치는 눈보라에 전신을 가리고 너를 닮은 흰 눈을 즈려밟는 겨울. 내 오른쪽 어깨 언저리에는 여전히 네가 나란히 서있다. 슬쩍 어깨너머로 돌아본 어제, 오늘과 잡히지 않는 내일에도 네가 내 곁에 없는 순간은 없을거라 믿는다. 내일이 오고 또 그다음 날이 오더라도 너는 늘 이 자리에 있기를.

늘 보이던 그 화사한 미소와 함께.

너와의 대화에서 간간이 그럴 때가 있었다. 너의 의견과 나의 의견이 맞지않아 반대의 경우가 생길 때. 그럴 때마다 난 항상 입을 닫았다. 그 까닭은 조금 더 너의 이야기를 듣고 싶었고 그런 만큼 너의 말은 내게 그 어떤 경전보다도 소중했기 때문, 혹여라도 그 가치에 부응하지 못할까봐 걱정했기 때문이다.

하지만 너는 알고 있었지 않았을까.

내가 너의 불평에 대꾸하지 않음은 너의 불만을 이해함이고, 너의 수다에 짧은 답변을 내놓는 것이 수다의 맥을 끊지 않기 위함이었음을, 나의 모든 행동이 너를 만족시키지 못했을지라도 너의 모든 것을 수용하고 사랑하기 위함이었다는 걸.

한 송이 꽃 ♪

 나와는 모든 것이 너무나도 다른 너였다. 처음에는 그런 모습에 끌렸던 것 같다. 내가 모르는 그 낯선 모습, 처음 경험하는 신비한 미지의 느낌이 그저 새롭고 좋았던 것 같다. 그런데 이제는 아이러니하게도 어느덧 익숙해져 버린 너의 모습에 설레기 시작했다. 약속 시간에 조금 늦어도 천천히 다가오는 그 광경에, 밥을 먹으면서 고기를 내 앞으로 조금 더 많이 밀어주는 너의 손짓에, 살며시 내 손등을 쓰다듬는 그런 너에게 내 가슴이 떨리기 시작했었고 어느덧 나는 너를 닮아가기 시작했다. 너 역시 나라는 하나의 일상으로 스며들기 시작하면서 우리의 삶은 하나로 합쳐져 가고 있었다. 서로가 서로에게 물들어가고 있었다.

 화선지에 스며드는 먹물처럼 나는 조금씩 너를 적시며 스며들었다. 그저 새하얀 한낮 얇은 종잇장에 불과하던 내가 너로 인해 이 세상에 하나의 의미가 되었고, 그런 너에게 나는 무엇이든 해줄 수 있을 것이라 생각했다.

 설령 하늘의 별을 따다 달래도 해줄 수 있을 것 같았다. 그런 나의 다짐은 너에게 보여줄 수 있는 아주 작은 약속이었는지도 모르겠다. 故김춘수 시인의 '꽃'이라는 글처럼.

내가 너의 이름을 불러주었을 때 네가 내게로 와서 한 송이 꽃이 되어 주었듯 나 역시 너에게 한 송이 꽃이 되고 싶었다. 그래서 네게 월급날마다 선물을 안겨주기로 결심했다. 많은 시간이 흐른 뒤의 월급날에는 나는 너에게 어떠한 의미가 되기 위해 어떤 선물을 고르고 있을까.

아주 실낱같이 작은 꽃송이일지라도 나의 모든 것인 너에겐 아주 작은 한 송이 민들레 같은 의미라도 되고 싶다.

함께하는 날 ☽

어쩌다가 그랬던 걸까요. 내가 어쩌다가 그대를 사랑하게 되었을까요. 영원할 것만 같던 한여름 늦은 새벽의 부슬비 사이를 헤치며 걷고 그대의 작은 어깨를 와락 안아버린 그날 밤부터였을까요. 영원히 이어질 것만 같았던 그대와의 여름이 가고 새로운 계절이 돌아오는 순간에도 그대의 아름다운 미소는 여전했고, 걸망스러운 발걸음으로 다가온 내일이 절뚝이며 멀어져 가는 어제로 변해감에 따라 그대의 목소리는 선명한 사진으로 가슴에 새겨지네요. 언젠가 오롯한 그대의 행복을 위해 잡은 내 손을 떨쳐낼 날이 찾아올지도 모르겠지만 나는 돌아올 여름 그리고 그다음 여름에도 그대와 함께하고 싶어요. 그대의 행복에 내가 늘 있었으면 좋겠어요.

이러한 순간이 그저 영원하기만 했으면 좋겠다고 생각한 날들이 많았어요. 지금도 당신과 함께 있는 순간엔 그 순간이 영원하기를, 당신을 보내는 그 시간이 오지 않기를 갈망합니다. 그럼에도 어쩔 수 없이 마치 해가 지면 달이 떠오르는 것처럼 당신을 보내야 하는 시간이 반드시 돌아오고 헛헛한 마음만 한 줌 가득 쥐고 터덜터덜 어둠을 헤쳐 당신을 다시 만나는 아침을 기약하며 잠을 청합니다.

우리가 떨어져 서로를 볼 수 없는 이 시간이 너무 길게 지속되지 않았으면 좋겠어요. 그저 당신과 함께 눈을 뜨고 눈을 감고 서로를 꼭 끌어안고 꿈에서조차 떨어지지 않는 그런 날이 하루라도 빨리 왔으면 좋겠어요.

내가 왜 좋아? ♪

가끔은 알다가도 모를 것 같은 때가 있어요. 그대가 내게 짓는 표정, 내게 하는 말투, 걷는 발걸음 그 모든 것에 짜증이 잔뜩 나있는 것 같은데 도저히 무슨 일인지 알 수가 없을 때요. 나 때문일 수도, 나 때문이 아닐 수도 있지만 그보다도 더욱 가슴이 아픈 것은 내가 그대에게 위로조차 되지 못할 때에요.

지칠 때는 내게 기대도 괜찮아요. 짜증이 날 때는 화를 내며 내게 다 털어놓아도 괜찮아요. 그대의 그런 모습들마저도 내게는 다 사랑스러우니. 그대가 기댄다고 해서 내가 지치는 일 따위는 없을 테니 잔뜩 의지해 주세요. 잠이 오지 않는 밤에 문득 내가 생각나면 새벽이라도 전화해도 괜찮아요. 아무 말 없이 서로의 숨소리만 듣고 있어도 좋아요. 그냥 그렇게 있다가 그대가 잠에 들면 우리 꿈에서 만나요. 하루의 투정. 꿈에서 내게 다 털어놓아요. 그런 그대의 투정까지도 내게는 그저 사랑스러울 뿐이니까.

또 가끔 그럴 때가 있어요. 무언가를 맞닥뜨렸을 때에 논리적이고 이성적으로 부연할 수는 없지만 왠지 모든 것이 잘 풀려나갈 것처럼 느껴질 때. 무릎 위에 앉은 고양이가 햇살을 받으며 냐옹 거리는 것을 보며 이것이 평화로운 하루라는 것이구나. 하고 느껴지는 것처럼 내가 그대를 처음 보았을 때의 느낌이 그랬어요. '내가 왜 좋아?' 라는 그대의 질문에 선뜻 대답하지 못했던 이유는 그 때문이었어요. 그냥이라는 무성의한 대답으로 넘어가기에는 당신의 눈빛은 정말 궁금증을 안고 있는 것처럼 보였거든요. 모르겠어요.

그저 감이라고 할 수도 있고 느낌이라고 할 수도 있고 조금 더 고급스럽게 표현하면 직관적으로 내 마음에 다가온 봄날의 들꽃 같았달까요. 그대는 처음부터 내 가슴에 핀 사철 내내 꽃 피우는 향기에요.

끊임없는 사랑 ♪

나도 모르는 사이에 켜켜이 쌓여 온 먼지처럼, 그대는 나도 모르게 당연한 듯이 내 마음에 들어와 있었나 보다. 아무도 모르게, 당연하듯이 내려앉은 그대와의 사랑과 추억은 그 어떤 말로도 설명할 수 없는, 뻔할 수 없는 이야기인 듯하다. 무르고 터지고 다시 아물어 가는 손안에 생긴 굳은살처럼 그대가 내 곁에 영원했으면 좋겠다. 많은 이야기를 하지 않더라도 눈빛으로, 그리고 호흡 하나만으로도 서로를 이해할 수 있는 그런 연인이 되었으면 좋겠다. 낯설고 어색하게 시작한 우리일지라도 어느 순간은 손마디에 맺혀있는 손금과도 같은 사람으로 서로가 서로 자체이기를 바란다.

그대와 내 사랑이 영원히 이어지면 좋겠다.

혼자는 외롭고 둘은 괴롭다지만 사랑을 되뇐다는 것이 얼마나 애처롭고도 아름다운 일인지 겪어보지 않은 사람은 알 수 없다. 그대가 없는 방 안에서 홀로 그대를 사랑한다고, 사랑한다고 아무리 외쳐 보아도 닿지 않는 이 목소리가 달빛보다도 찬란하게 이 새벽을 밝히고 있다. 이 또한 그대를 향한 나의 진솔한 사랑이며, 술에 취해 뚜렷하지 않은 발음으로 그대를 사랑한다

읊조리는 것 역시 유치하고 바보 같지만 부정할 수 없는 그대만 바라보는 나의 마음이다.

　　어느 한순간도 그대를 사랑하지 않은 순간이 없었으며, 그대가 없는 내 삶은 단 일초라도 상상할 수가 없다. 그대가 잠든 순간의 이 독백이 그대에게 닿을지 알 수 없지만 언제나 나의 사랑은 온전히 그대를 향해 있습니다.

함께라는 행복 ♪

열꽃이 피는 것처럼 자꾸만 두 뺨이 붉게 달아오르고 심장병이 걸린 듯 가슴이 두근대는 날들이 지속되었다. 그저 매년 그러했듯 지나가는 한여름 날의 더위 앓이를 하는 것이라고 생각한 때도 있었지만 너를 생각할 때만 늘 이런 증상이 멈추지 않았기에 널 사랑하는 것이라고 믿었다. 너로 인해 내 감정이 요동쳤고, 온 가슴 가득 네가 담겨 아무것도 할 수가 없었으며, 흰 눈이 가득 쌓인 벌판 위에 발자국을 남기듯 네가 가슴으로 걸어 들어온 흔적이 선명히 새겨졌다. 그럴수록 내 가슴은 점점 더 너를 갈망했다. 세상 그 어떤 의사도 이 증상에 대해 정확한 진단을 하지 못할 것이다. 어떤 이는 치기 어린 호기심이라고 했고 또 어떤 이는 호르몬 과다분비의 부작용으로 인한 일시적 증상이라고 했다. 어쩌면 이 병에 대한 진단은 내가 내려야 할지도 모르겠다.

사랑입니다.

세상 유일한 내 단 사람을 향한, 애달프고 간절한, 온 마음을 다한 사랑입니다.

사랑이 그리 대단한 것은 아닐지도 모른다는 생각이 문득 들었다. 이렇게 너와 함께 맛있는 밥을 먹을 수 있다는 것, 턱을 괴고 나의 눈을 지그시 들여다보는 너의 미소를 볼 수 있다는 것, 나의 팔을 베고 누워 밤하늘의 별을 헤아리는 너를 바라보는 것. 그 자체만으로도 큰 행복이고 내게는 사랑이라고 생각한다.

너를 보낼 때면 늘 아쉬워 통금처럼 정해진 귀가 시간을 언제나 훌쩍 넘기곤 했고 그럴 때마다 기차를 타고 멀어지는 너의 뒷모습을 보며 미안해했고 아쉬워했다.

그러면서도 고작 10평 남짓한 내 자취방에 들어와서는 하루가 넘기 전에 돌아가야 하는 너에 대한 서운함과 아쉬움보다는 함께 있는 순간 너를 더 행복하게 하지 못한 나에 대한 자책과 미안함이 남았다.

하지만 이 감정을 느낄 수 있는 것 마저 나는 행복이라고 생각한다. 나는 너를 사랑한다. 조금 더 네게 맞춰 줄 수 있으면 더욱 좋겠지만 지금 이렇게 너와 함께할 수 있는 시간이 있다는 것만으로도, 내일도 우리가 함께할 것임을 알기에 난 분에 넘치게 행복하다.

파랑새와 나무 ♪

　따가운 햇살이 이파리 사이를 뚫고 내 이마로 쏟아져 내리던 어느 여름날이었다. 수목원 숲길을 손 꼭 맞잡고 걷던 그 날이 아직도 기억 속에 생생하다. 운동화 밑창 아래로 자박이는 부엽토의 흙냄새와 간간이 들려오는 산새의 노랫소리가 우리의 방문을 반기는 듯했다. 두 계절이 지나고 이제는 그때만큼 햇살이 뜨겁지는 않지만 여전히 오늘도 그때와 같은 태양이 뜨고 우리는 그때보다도 더욱 열렬히 서로를 사랑한다. 아직 그대의 이마에 송글송글 맺히던 땀방울을 기억하며 잠시 쉬던 벤치에서의 나눈 수줍은 키스를 기억한다. 그 날의 추억으로, 둘 만이 존재하던 비밀의 화원과도 같은 그 숲길의 기억으로 두 계절을 살았다. 앞으로 살아가는 동안 또 새로운 나날들로 추억이라는 앨범의 한 장을 쓰겠지만 사랑이 시작된 여름의 추억은 우리 사랑의 가장 뜨겁고도 정열적이었던 날 중 하나로 기억될 것 같다.

　작은 파랑새 한 마리가 하늘을 날다 지쳐 한 나뭇가지 위에 내려앉았다. 아직 어리지만 열심히 가지를 내고 새 잎을 틔우려 하는 나무였다. 마치 지금까지 가지를 내어 온 것이 그 파랑새가 앉아서 쉬기를 바랐던 것처럼,

이파리로 파랑새에게 시원한 그늘 조각을 내어주기를 바라왔던 것처럼 너무도 당연한 듯 그는 가지 하나를 냉큼 내밀었다. 파랑새의 발끝이 가지에 닿고 날갯짓이 멈추는 바로 그 순간 나무는 눈을 떴다. 스스로를 위해 키워온 몸이 누군가의 쉴 곳이 되어줄 수 있다는 것에 그는 행복했다. 그 전에는 느껴보지 못한 행복과 안도, 뿌듯함이 몰려왔다.

파랑새는 나뭇가지 안쪽에다가 흙을 물어와 집을 짓기 시작했다. 나무 역시 집이 돌풍에 떨어지지 않도록 근처에 더 단단한 가지를 내기 시작했다. 그렇게 파랑새와 나무는 서로의 행복을 찾아가기 시작했다.

너와 나, 우리 둘의 이야기다.

닿지 않는 사랑 ☽

언제부터였을까. 한 번도 다른 사람의 가방을 들어준 적 없던 나였는데 가방이 무겁다는 그대의 말 한마디에 선뜻 왼손을 내밀게 된 것은. 짐의 무게로 그대가 피곤해하는 것이 보기 싫어 나누어지고 싶어졌나보다. 누군가 내게 기대는 것도, 내가 누군가에게 의지하는 것도 그리 달갑지 않았던 내가 그대에게는 자꾸만 바라는 것이 많아진다. 내 말을 들어달라고, 그대가 힘들 때는 내게 기대어 달라고. 내가 대신 짊어지고 갈 수 있는 것이라면 가방이 아니라 그대라도 대신 짊어질 것임을 그대도, 나도 알고 있는지도 모른다. 그렇게 나는 가방을 통해 오늘도 그대를 느낀다.

책상 위에 그대와 함께 찍은 사진이 놓여있다. 보정하지 않아도 이미 충분히 빛나고 아름다운 그대의 모습이라서 출근하기 위해 로션을 바를 때, 퇴근하고 집으로 돌아와 샤워를 한 후에도, 그 어떤 순간에라도 나를 미소 짓게 하는 얼굴이다. 모든 사진들이 그렇듯 언젠가 이 사진도 빛이 바래고 그 날의 대화, 몸짓들도 기억 저편으로 아스라이 멀어져 갈지 모른다. 그저 그 순간 함께했었다는 추억만이 가만히 남을 뿐. 하지만 그대와 나 모두 알고 있지 않을까.

사진은 빛이 바래면 새로 갈아 끼우면 되고, 편지가
낡아 종이가 바스러지게 되더라도 그 메시지는 서로에
대한 사랑으로 기억될 것이라는 것을. 바래지는 것은
그저 지난날일 뿐이고 또 함께 만들어갈 새로운 추억
들이 온 세상에 가득하다는 것을 말이다.

눈을 뜨는 이유 ☽

　억지로 당신에게 맞추려 한 적도 없었고 내가 원하는 모습으로 당신을 바꾸려 한 적도 없었다. 그저 자연스럽게 우리 둘이 서로 닮아져 가기를 바랄 뿐이었다. 그대를 있는 그대로 사랑했고 그대 역시 그런 나를 사랑해왔다. 언제부터였을까 당신에게 보여주는 이전에는 미처 알지 못했던 나의 모습을 보고 나 자신도 놀라버렸다. 내가 이렇게 자주 웃는 사람이었던가. 나는 늘 무표정이며 늘 짜증이 나있는 신경이 날카로운 그런 사람인 줄 알았는데. 내가 이렇게 수다스러운 사람이었던가. 나는 늘 조용한 것을 좋아했었고 그렇기에 카페나 전시회만을 찾아다녔었는데. 이렇게 누군가를 위해 나의 시간을 죽일 줄 아는 사람이었던가. 나는 남을 위한 행동을 앞서 하는 사람도, 나에게 도움 되는 것이 아니라면 남에게 시간을 투자하지 않는 사람이었는데. 이렇게 온 마음을 다해 사랑이라는 것을 할 줄 아는 사람이었던가.

　당신은 알고 있을까. 당신이라는 사람으로 인해 나라는 존재가, 이 세상에서 모든 것에 대해 지니고 있던 의미가 너무도 달라져 버렸음을. 내가 아침에 눈을 뜨는 너무나도 뚜렷한 이유가 생겼음을.

네가 사랑하는 사람은 어떤 사람이야? 》

누군가 내게 이렇게 물을 때면 나는 항상 그저 '좋은 사람'
이라고 대답했다. 설령 네가 다른 사람에게는 그리 좋은 사람
이 아닐 지라도 혹은 네 생각에 내가 그리 좋은 사람이 아닌
것 같을 지라도 언제나 너는 내게 좋은 사람이고 멋진 여자였
음에는 부인할 여지가 없었다.

그렇기 때문인지 나는 종종 궁금해지곤 했다. 다른 사람들
이 너에게 나는 어떤 사람이냐고 물었을 때 너는 어떤 대답을
할지 말이다. '좋은 사람' 이라는 말에는 참 많은 의미가 함축
되어 있지만 너에게 좋은 사람이라는 것은 어떤 의미를 가지
고 있을지도 궁금했다.

내게 있어 너를 묘사하는 '좋은 사람' 이라는 것은 어떤 것
일까 고민해봤다. 예쁜 사람, 내게는 다정한 사람, 정미 많은
사람, 사랑한다는 말은 부끄러워 하면서도 여전히 나를 사랑하
는 사람. 많은 말과 의미가 있겠지만 그 무엇보다도 중요한
것은 따로 있는 것 같다.

'내가 사랑하는 사람이라는 것'

영원이라는 약속 》

내 입술로부터 네 입술까지의 거리. 매 순간 애써 참다가도 너의 사랑스러움을 더는 참을 수 없을 때, 나는 그 한 뼘의 거리를 좁혀 네게 입을 맞추곤 했다. 너와 나 사이에도 최소한의 거리는 필요하다고 생각은 하지만 그 거리는 이만하면 됐다. '이 정도 거리면 충분하다'라고 느껴지는 딱 그만큼이다. 서로가 원할 때 굳이 손을 쭉 뻗지 않아도 뺨을 어루만질 수 있는 거리, 눈동자에 비치는 서로의 모습을 들여다볼 수 있는 거리. 이 한 뼘의 거리, 한 뼘의 높이는 몇 십 년이 지나더라도 그대로 일 테니 너와 나 역시 그러하면 좋겠다. 이 한 뼘의 거리에서 때로는 더욱 가깝게, 서로의 시선을 돌리지 말고 언제라도 마주하고 있어주면 좋겠다.

너가 처음 슬며시 내 어깨에 기대었을 때의 설렘을 아직도 기억한다. 살포시 얹히는 무게에 너의 인생을 내가 조금이나마 나누어지고 가는 이 삶의 행복감을 그대는 알고 있을까.

내 삶의 무게보다 너의 삶이 조금은 더 무거울지 모르기에 조금이나마 나누어지며 너에게 등짐처럼 얹힌 그 부담을 내가 덜어가고 싶었다. 이렇게나마 너의

웃는 얼굴을 볼 수 있다면 그것이 나의 행복이고 내가
너를 사랑하는 방식이다.

그녀가 살며시 눈을 감는다. 무슨 생각을 하는지 입
가에 잔잔한 미소가 감돈다. 움찔거리는 입술에서 문득
한마디가 튀어나온다.

"사랑해"

그 짧은 한 단어에 나는 너와 미래까지 함께하는 영
원이라는 약속을 한다.

당연해지는 과정 ☽

차로 가득 붐비는 길 위에서 다시 빨간 불이 들어온다. 옆자리에 앉은 너의 옆모습을 보는 내 눈에는 언제 신호가 바뀌는지 유심히 바라보는 네가 들어온다. 최소한 1분 이상은 신호가 바뀌지 않을 것이다. 우리 앞에 선 차가 갑자기 후진을 한다거나 뒤차가 경적을 울리거나 하진 않을 것이다. 가만히 네게 다가가 뺨에 입을 맞추어 본다. 어린아이의 피부처럼 부드러운 네 피부가 입술에 닿는 감촉에서 오는 따스함이 가슴까지 전해지는 것 같다. 피식하고 웃으며 돌아보는 너의 눈빛마저도 너무 사랑스럽다. 곧 신호가 바뀔 것이다. 우리는 자세를 고쳐 앉아 다시 전방을 바라본다. 하지만 어느새 우리 사이에 놓인 손은 깍지를 끼고 서로의 손을 꼭 붙들고 있다.

나는 당신에게 많은 것을 바라지 않아. 내게 애써 친절하지 않아도 괜찮아. 퉁명스럽고 까칠하고 때로는 무뚝뚝하더라도 그저 당신이기에 나는 늘 행복해. 손만 잡아도 사랑스럽고 눈빛만 봐도 가슴이 뛰어. 가끔 무언가를 할 때 서투른 손짓도, 덤벙거리다가 문득 잊는 것이 있을 때도, 언짢은 마음에 나한테 심한 말을 해도 그냥 당신이 좋아.

당신의 모습 하나하나가 사랑스럽고, 당신을 늘 보듬어주고 싶은 마음이야. 애써 노력해서 되는 게 사랑이 아니라는 것쯤 이제는 알아. 어느 순간부터인가 그냥 당신에게 좋은 인연이 되고 싶어졌어. 그때부터였을 거야.

당신의 모든 것을 이해하는 것이 그리 어렵지 않고 당연해지던 게.

첫 만남, 첫 사랑 ♪

지난 수년 동안 만들어 놓은 나의 프레임을 깨트려 준 것은 바로 너였다. 너와 함께 있는 모든 순간이, 너를 만나게 해준 이 모든 상황들이 매번 새로워지는 것 같았다. 언제부터인가 나의 사고가 너를 닮아져 가기 시작했고, 그런 내 모습을 너도 반가워하지 않을까 하는 생각이 들었다. 깨어나는 순간부터 잠드는 순간까지 그리고 그 사이에 꿈을 꾸는 순간까지도 모든 것이 너였다. 지나온 세월보다 훨씬 길 나의 인생 내내 나의 생활의 틀을 짜고 함께 그 안을 채워나가는 사람이 너였으면 좋겠다. 네가 곧 나이고 내가 곧 너였으면 한다.

너를 처음 만났던 때가 기억난다. 처음 만났기에 서로의 목소리, 성격, 그 무엇 하나 서로 알지 못하였는데 첫 만남부터 정말 오랜 시간 동안 만나온 친구처럼 대화를 해나갔으니 말이다. 그런 너와 나누었던 작은 대화의 파편들만으로 나는 너에게 빠져들고 말았다. 너무도 자연스럽게 끌리기 시작하고 너를 만난 후 문득 뒤돌아본 순간 나는 너에게 빠져있었다. 이미 나는 너를 사랑하고 있었다. 좁디 좁은 손 안의 공간에서 나는 너라는 세상을 얻었고 너라는 존재는 나의 전부가

되어 있었다. 툭하고 발치로 떨어지는 은행잎에도 너를
떠올렸고 추위에 오들 거리며 길을 지나가는 사람들에
게서도 네가 보였다.

무엇에든 너를 보는 것, 하루종일 네 생각을 하는 것.
그래, 이것이 너를 향한 나의 사랑이야.

사랑만 하며 살자 ♪

당신을 만남으로써 나는 인생과 사랑을 배우게 되었습니다. 온 마음을 다해 누군가를 대한다는 것이 무엇인지를 알게 되었고, 기다림 안에서 느껴지는 설렘과 그 시간을 즐기는 법을 깨닫게 되었습니다. 더 이상 새롭게 배울 것이 없을 것이라 여겼던 지난 시간이 당신으로 인해 무의미해졌고, 내가 전부라고 여겼던 나의 세상에서 당신이 전부가 되었습니다. 당신과 함께하는 매 순간은 내게 새로운 것 투성이었고, 그럼으로써 같이 점차 성장해올 수 있었습니다. 어느 순간에라도 당신에게 배울 것이 더 이상 없어지는 그런 순간은 오지 않을 것 같아요. 당신은 내게 늘 새롭고 항상 심장을 뛰게 하는 나의 가장 완벽한 친구이자 선생이기에. 당신을 만난 이후 나는 단 한 번도 선택의 기로에 선다는 생각을 해본 적이 없어요.

오롯이 당신이기에 사랑할 수 있었습니다. 이전에 서로의 감정에 싸움을 붙일 법했던 연락, 약속, 시간, 감정 따위의 문제는 이젠 내게 아무런 영향을 미치지 못해요. 아니, 솔직하게 어느 정도 감정에 위협감을 줄 때는 있었던 것 같아요. 하지만 그로 인해 그대를 놓아야겠다는 생각을 단 한 번도 해본 적이 없었습니다.

지금 역시 내가 할 수 있는 만큼 조금 더 그대에게 맞춰가고, 조금 더 이해하면 나중에는 그대도 내게 한 발짝씩 더 다가와줄 것이라고 믿어 의심치 않아요. 그대를 사랑해 온 이 날까지의 내 모습 그대로 그대를 더 사랑할 것입니다. 더 오랜 시간이 흘러 생각지 못한 갈등이 우리에게 성큼 다가설지라도 쉽게 외면해버릴 수 있을 거라 생각해요.

　우리 사랑에 갈등 따위는 없이 그 자체만으로도 아름답게 굳어갈 것이라 난 믿어요.

　우리 사랑만 하며 삽시다.

왜 좋아하는 거야? ♪

　너의 집으로 향하는 기차에 너를 태워 보낸 뒤 멀어져가는 기차를 빤히 쳐다본다. 이미 네가 탄 기차는 저만치 멀어져 점이 되어 사라져 버린 뒤지만 혼자 네가 도착하기 전까지 몇 시간이고 홀로 중얼거린다. '지금쯤이면 저기쯤 갔겠구나.' '이제는 여기쯤 있겠구나.' '이쯤에 있는 역에서 지연이 걸려서 대기중이겠구나.' 네게 말한 적이 한 번도 없었고 너 역시 어디쯤이라고 시시콜콜하게 나에게 이야기해준 적은 없었다. 하지만 왜일까. 틀림없이 내가 생각하는 그즈음에 네가 있을 것 같았다. 고작 두 세시간을 이동해 너의 보금자리로 들어갈 동안 나의 눈과 마음은 계속 너를 쫓고 있었다. 언젠가 그리 머지않은 시간에는 네가 멀어져 간 텅 빈 철로를 보는 것이 아니라 너와 나란히 서서 별을 헤아리며 시린 손을 서로의 입김으로 녹여줄 날이 올거라 믿으며 말이다.

　너와 연애를 시작한 지 얼마 되지 않았을 때 주변에서 나와 너의 사이에 대해 묻기 시작한 날이 있었다.

　누구였던가. 뜬금없는 질문을 툭 받은 적이 있는데 '왜 좋아하는 거야?' 라는 평범한 질문이었다. 평범하지

않았던 우리의 시작을 무슨 말로 둘러대야 할지 모르
겠어서 마음이 가는대로 대답을 했었다.

'그냥, 내 인생을 걸어보고 싶어진 사람이라서.'

매 번 새로운 사랑 ♪

처음에는 당신이 나와 그리 멀지 않은 곳에 산다는 것이 마냥 좋았다. 당신이 나를 그리워할 때 그리고 내가 당신을 보고 싶어 할 때면 조금 벌어진 시간의 틈바구니를 헤집고서라도 만날 수 있다는 사실에 행복했다. 그랬기에 당신과의 물리적 거리가 멀어진다는 것은 상상만으로도 고통스럽고 힘겨운 것이었는지 모르겠다. 하지만 어느 순간부터인가 떨어진다는 것이 섭섭하기는 하지만 못 견딜 정도는 아닌 일이 되었다. 그 이유는 지금 당장은 당신과 내가 다소 먼 거리를 달려 보게 될지라도 얼마 지나지 않아서 숨소리의 변화까지도 알아챌 수 있는 거리에서 영원히 함께하게 될 것임을 예감하고 있었기 때문일 것이다.

오늘도 당신을 돌려보내며 감정선의 오선지에선 수많은 음표와 쉼표가 그려지고 변주되었지만 그 와중에도 마음 한 구석에는 따뜻하게 데워진 돌멩이 하나가 들어앉은 듯 당신을 향한 온 가슴을 가득 데우고 있다.

두려움 한 조각, 설렘 한 조각 그리고 함께하는 앞날에 대한 기대 한 조각. 수많은 감정의 조각들을 모아 당신과의 사랑이라는 커다란 그림을 그리게 되고 우리가 함께 맞춰 온 모자이크 조각들 같은 지난 시간들.

아직도 이 그림이 어떤 형태로 완성될지 모르기에 지금까지 놓아 온 서로에 대한 감정의 편린들과 무수한 사랑이란 말들로도 온전히 채울 수 없던 서로에 대한 갈망과 불확실한 미래에는 어떤 조각들을 놓아야 할지 고민이다.

후에 어떤 일이 일어날지 알지 못하더라도 일단 그 자리에 맞을 것 같은 조각을 찾아 흐트러지지 않게 놓는 데에만 최선을 다해보려 한다. 하루가 멀어지고 새로운 하루에 눈을 뜰 때마다 당신의 모습은 경이로울 만큼 빛나고 있을테고 그 하루라는 그림에 당신과 함께하는 날마다 추억이라는 새로운 조각을 놓아보려 한다. 매일 처음인 것처럼, 매시간 새로운 사랑을 시작하는 것처럼 말이다.

너를 기다리는 동안 ♪

　내 가슴에 쿵쾅거리는 모든 발자국 따라 너를 기다리는 동안 나는 너에게 가고 있다. 라던 '너를 기다리는 동안'의 황지우 작가의 말처럼 기다리는 일만큼 가슴 아린 일은 없을 것이다. 모든 기다림의 순간마다, 초침이 바삐 뛰어가는 그 한 발자국마다 가쁜 숨을 몰아쉬며 시선은 허공을 맴돈다. 아주 먼 곳에서, 그 끝자락이 어디인지도 모르는 그곳에서 너는 내게 오고 있을 것이다. 그 기다림을 약간이라도 줄여보기 위해 나 역시 네가 있을 방향으로 한 번 발걸음을 옮겨 본다. 너를 기다리는 순간조차 아름답고 눈부신 순간이기에 이 시간이 결코 아깝지 않다. 너의 집 근처 건물 벽에 등을 쿵쿵 두드리며 너를 기다린다. 날개뼈를 통해 전해지는 깊은 진동이 네가 걸어오는 발소리인 것 같아 고개를 드는 순간 저만치서 네가 종종걸음으로 걸어오는 것이 보였다.

　눈을 감고 그대가 올 순간까지 셋을 세어본다. 숫자 세기가 끝나면 그대가 내 눈 앞에 서 있을 것이다. 한쪽 귓바퀴 안으로 깊숙이 밀어 넣은 이어폰에서는 익숙한 멜로디가 흘러나온다.

하나 하고 숫자를 센다. 바쁘게 굴러가는 자동차 엔진 소리가 왼쪽에서 오른쪽으로 스치듯 지나간다. 물 흐르듯 자연스러운 저 소리를 내는 차에 그대와 내가 함께 있었으면 하는 실없는 생각이 머리를 스쳐간다.

둘 하고 숫자를 센다. 하굣길의 학생들 목소리가 2차선 도로를 가득 메운다. 우리가 저 어린 시절에 만났더라면 어땠을까. 우리가 함께한 시간의 몇 갑절은 되는 세월 동안 더 많은 추억을 쌓을 수도 있지 않았을까.

셋 하고 숫자를 센다. 이어폰에서 나오던 노래의 가수는 마지막 후렴구를 목이 터져라 내지르고 있다. 눈을 뜬다. 때마침 하늘에서는 함박눈이 내렸고 어느덧 너는 내 앞에 눈송이보다도 새하얀 미소로 나의 기다림을 대답하고 있었다. 노래가 끝나기 무섭게 이어폰을 빼고 그대의 이마에 입술을 맞춘다.

떠올리는 것만으로도 ☽

아무런 말을 하지 않아도 그대의 생각을 알 수 있었으면 좋겠다고 생각한 적이 있었습니다. 나와 함께 있는동안 종종 멍해지는 그대가 무엇을 그리 생각하고 있는지 알 수 있었다면 어땠을까요. 가끔 우리가 다투곤 했을 때 그대와 나의 의견이 일치하지 않거나 오해를 하고 있을 때 당신의 판단을 미리 알 수 있다면 한결 빠르게 의견 차이가 좁혀질 수 있지 않았을까요.

하지만 만약 그랬으면 그대와 이야기를 나눌 일이 오히려 없었을지도 모르겠네요. 무슨 생각을 하냐고 물어볼 일도, 내가 함께 고민해주겠다고 할 일도, 저녁으로 뭘 먹을지 무엇을 하고 싶은지 물어볼 일이 없었을 것 같아요. 이미 다 알고 있을테니 말입니다. 그대의 생각을 읽을 수 있었다면 우리의 연애는 참 밋밋하고 재미없는 쉽게 질려버리고 마는 연애가 되어버렸을 거에요.

그대의 마음을 다 알지 못해도 괜찮아요. 우리 서로에게 조금씩 오해가 생기더라도 괜찮아요. 각자 몰랐던 것들, 이해하지 못했던 것들은 대화로 풀어내며 맞춰나가면 되니까요. 그저 즐거운 하루를 보내고 안녕

이라는 인사를 한 뒤 점점 멀어져가는 그대를 지켜보
는 것 그리고 발걸음을 돌려 밤하늘을 올려다 보았을
때 그대가 떠오르는 것

　난 그걸로도 행복할 수 있습니다.

곁에 있는 것만으로도 ♪

잠에 들었다 깨었다를 반복하며 또 고단한 하루를 열었다. 내가 잠을 설친 것이 그대를 향한 그리움인지 혹은 에어컨의 바람이 차가워서인지는 모르겠다. 문득 눈을 떴을 때 심장의 두근대는 소리가 너무도 크게 울려 고막까지 진동하는 것이 느껴졌을 뿐이었다. 이런 식으로 눈을 뜨는 아침이면 내 손은 본능적으로 이불 위를 더듬는다. 머리맡에 놓아둔 휴대폰을 찾는 것이 아니라 너와 함께 잠들 날을 위해 의식적으로 비워 놓는 옆자리를 확인하는 것이다. '네게 팔베개를 해주고 잠이 들었더라면 이렇게 잠을 설칠 일 없었을 텐데.' 하면서 말이다. 얼마간의 시간이 지난 뒤에 그 자리에 네가 있을지 모를 일이다. 또 언젠가 매일의 선잠 끝에 너의 평온하게 잠든 얼굴을 보고는 이내 다시 단잠을 청할 날이 올 것이라 믿으며 다시 잠에 든다.

어김없이 해가 떠오르고 나는 피곤한 눈을 비비며 기지개를 켠다. 블라인드 너머에서는 어렴풋이 귤빛 여명이 내 눈썹 위에 내리고 어제의 모든 어둠과 망상이 마치 없었던 일인 것처럼 하루가 밝아온다. 그대가 없던 간밤을 비롯한 지난 시간들은 내게 끝 모를 외로움을 충분히 주었고 이제는 그대와 함께함으로써 그 모든 기억을 지울 만큼 행복하다. 우리의 앞날이 항상 행복할 수는 없을지도 모른다. 내가 그대에게 혹은 그대가 나에게 이전보다 더 큰 슬픔을 안겨주게 되는 날이 간간이 있을지도 모르는 일이다. 하지만 내게는 그 모든 것이 괜찮다.

그대가 나와 함께함으로써 나는 적잖이 행복하며, 그 행복 사이에 따라올 수 있는 작은 아픔들이야 감당할 수 있는 범위 안에 있을 테니까 말이다. 그런 모든 순간에도 그대가 곁에 있음이 다른 어떤 것들조차도 무의미하게 만드는 가장 큰 기쁨이 될 것임을 믿는다.

천천히 행복을 향해 걸으며 순간의 풍경에 조금 더 오래 머무르고 싶다.

다큐멘터리 같은 연애))

　그대와 나의 연애가 다큐멘터리였으면 좋겠다고 늘 생각해왔다. 누구나 웃고 즐기다가 어느 순간 그냥 그저 그런 이야기가 되어 버리는 진부한 로코 드라마가 아니라 찾아보는 이들이 많지는 않아도 아는 이들에게는 따뜻한 감동과 포근한 웃음을 지을 수 있게 하는 예쁘고 진정성 있는 다큐멘터리였으면 한다. 그 뒤에 올 우리의 앞날은 리얼 버라이어티 쇼와도 같은 형태였으면 한다. 단명하는 파일럿 프로그램이 아니라 누구나 겪게 될 갈등, 논쟁 그리고 일상이 녹아있었으면 좋겠다. 모두의 공감을 얻고 계속되기를 응원하는 그런 우리의 앞날이기를 바라본다. 아니, 우리의 만남을 그 누구도 알지 못해도 좋다. 아무도 모르게 사라지더라도 우리가 지금껏 흘린 땀과 눈물, 웃음이 서로에게 진정성 있는 것이었다면, 진실한 마음으로 온 마음 다해 사랑했었다면 그것만으로도 괜찮다.

　끝날 기미 없는 그리움이 밀물처럼 온몸에 사무치고 눈보라 휘몰아치는 설원의 풍경처럼 소복이 쌓여온다. 이것이 사랑인가 보다 하고 반신반의하며 시작한 연애가 틀림없는 사랑이라고 내게 속삭이며 성큼 한발 다가선다. 우리의 여정은 이제 겨우 시작이지만,

그 종착지가 어디가 될지는 모르는 여정이지만 한 손에 꼭 쥐고 있는 너의 손은 내 여정이 끝날 때까지 너와 함께일 것이라고 말해주는 것 같다. 비장하다 말해도 좋다. 너무 심각하다 말해도 좋다.

너와 함께할 인생이라는 여행은 그저 한 순간의 장난이나 며칠 휴가를 내고 훌쩍 떠났다가 다시 돌아오는 길이 아닐 테니까 말이다. 언젠가 도착할 그곳에서도 우리는 웃으며 서로를 마주 볼 것이 분명하잖아.

그렇지?

영원히 사랑해줬으면 해 ♪

　세상이 다 무너져 내린 것처럼 창문을 커튼으로 다 가려버리고 밖에 내리는 게 비든 눈이든 햇빛이든 밖이 어두워졌건 밝아졌건 날이 얼마나 지났건 몇 시간이 지났건 그런 것들은 다 버려버리고 우리 둘만 여기 남은 것처럼 그렇게 함께 누워서 좋아하던 음악이나 듣자. 모든 소리는 닫아버리고 들려주고 싶던 노랫말이나 흥얼거려보자. 우리의 시간에 깊은 새벽만 남겨버리자. 밖에서 새어 들어온 공기가 따뜻한지 시리도록 차가운지 그런 것들은 다 잊어버리고 서로의 체온에 기대 잠들어 버리자. 서로의 눈에서 눈으로 태양이 떠오르고 다시 달이 떠오르는 낮과 밤이 우리 둘 사이에만 존재하기를. 누가 볼세라 품속에 꽁꽁 숨겨두고 달려온 것들을 서로 앞에서 수줍게 꺼내 보이고 그걸 안주 삼아 우리의 밤을 몽땅 마셔버리자. 오늘이 지구의 마지막 날이라면 우린 서로를 잡고 끝없는 우주 속을 걸어 다니자. 그러다 우연히 찾은 정거장에 우두커니 앉아 끝없이 지는 석양을 바라보자. 서로의 끝이 서로이길 간절히 기도하며 무너지는 세상 속으로 다시 몸을 던지자. 모든 것의 마지막까지 서로를 안아 주겠다고 약속하자. 나는 너에게 내가 그런 존재였으면 해. 너의 세상엔 오직 나만 남아있었으면 해.

네가 나를 영원히 사랑해줬으면 해.

솔직해질 수 있었던 이유 ☽

　세상 온갖 것들이 그대를 시샘하여 이 겨울을 우리에게 보내주었나 보다. 그대의 생일이 막 지난 겨울의 끝과 봄의 사이에서 우리 손바닥으로는 가릴 수 없는 찬 바람이 불어닥치고 햇살 아래 맞잡았던 두 손은 각자의 주머니 안으로 향했다. '세상에 영원한 시련이 어디 있겠는가' 하는 생각으로 그대의 작은 주머니 안으로 손을 밀어 넣어 본다. 그 비좁은 공간 안에서도 여전히 그대의 손은 봄을 기다리는 목련 봉오리처럼 차가웠다. 그럼에도 내 귓가를 간질이는 그대의 목소리는 어떠한 계절보다도 따뜻했고 풍성했다. 그대의 음성은 칼바람을 밀어내고 몰아치는 봄바람의 기세를 사그러뜨리며 어느 순간 쨍하고 떠오를 따뜻한 봄 햇살의 기운을 마주하는 것과 같았다.

　원래 나는 눈물이 많은 아이였다. 물론 그 눈물은 모두 내 안의 무언가가 왈칵하고 터져 나올 때였다. 그나마 나이를 조금씩 먹어가며 점차 눈물을 참는 법을 익히게 되어 다행이라 생각했고 그렇게 어른이 되어가는 것이라 생각했다. 눈물뿐만 아니라 많은 감정들을 억누르고 참는 데에 익숙해질 무렵 딱 운명처럼 우연히 그대가 내 앞에 서 있었고 그 자리는 이내 내

오른쪽으로 옮겨가 있었다. 마치 그대에게는 아무것도 감출 것이 없다는 듯이 나는 그대에게 모든 것을 내보이기 시작했다. 지루한 일상, 친구들과의 수다, 잔뜩 취한 뒤의 술버릇까지도 말이다.

그중에서도 가장 놀라웠던 것은 나의 가장 약한 모습까지도 그대에게 보이는 것이 부끄럽지 않았다는 것이었다.

고맙다. 그대로 인해 나는 감정에 다시 솔직해질 수 있었고 나의 모든 것을 누군가와 나누는 것이 어떤 의미인지, 그게 얼마나 행복한 일인지 깨달을 수 있었으니 말야.

당신을 사랑하고 있습니다 ☽

너의 뒷모습을 보면서 나는 어느 순간 너인지 아닌지조차 모르는 그런 실루엣이 되는 순간에야 뒤돌아선다. 너의 뒤를 지키는 나를 아는 듯 모르는 듯 너는 내 시야에서 점점 멀어진다. 그렇게 오늘의 사랑은 어제가 되려 한다. 그 씁쓸함의 끝은 불 꺼진 나의 작은 방이며, 그 자리에 '네가 있었으면..' 라는 생각을 하며 가만히 누워본다.

아무것도 아니다. 네가 없으면 없는 대로 원래 나처럼 사는 거다. 그러나 원래 내가 어땠는지조차 기억나지 않는다. 내 삶은 너를 알게 된 후와 그 전의 삶으로 나뉘었으며, 네가 없던 날들의 나는 만취한 순간의 끊어진 필름처럼 이미 멀어져 있다. 오직 내게 중요한 것은 오늘처럼 너와 함께했던 시간들을 추억하고 내일도 함께할 것이라고 나 혼자라도 다짐하는 것뿐이다.

우리 둘 모두 그랬는지도 모르겠다. 서로가 함께라는 새로운 시작을 맞이한다는 것에 대해 지난 과거와 우리가 몸담고 있었던 그 현실에서 오는 부담과 피로감으로 인해 선뜻 즐겁기만 한 마음으로 시작할 수는 없었는지도 모르겠다. 하지만 또 한편으로는 서로의 웃는 모습을 다시 볼 수 없을지 모른다는 불안감, 마주하고 앉아 일상을 공유할 수 있는 일생의 파트너로 어쩌면 가장 적합할 수 있는 서로를 놓칠 수도 있다는 두려움에 결국 우리는 함께 하기를 선택했을지도 모르겠다.

나는 여전히 당신의 손을 잡을 때 가슴이 떨려오고, 당신의 미소를 볼 때면 나 역시 빙긋이 웃어버리게 됩니다. 당신이 화나면 어쩔 줄 모르겠고 당신이 울면 어떤 위로를 건네줘야 하는지 생각하다가 덩달아 나까지도 슬퍼집니다.

시작이야 어찌 되었건 나는 이렇게 당신을 사랑하고 있습니다.

세상에서 가장 아름다운 별 ☽

그대가 화를 낼 때든 웃을 때든 혹은 다른 그 어떤 순간이든 아름답지 않았던 적은 단 한순간도 없었다. 그저 이렇게 그대의 곁에 있다는 것만으로 나도 아름다운 그 무언가가 될 수 있었다. 어떻게 하면 그대를 조금 더 빛나게 할 수 있을까, 어떻게 하면 그대를 더 행복하게 할 수 있을까. 떠오르는 아침 해를 보며 곧 잠에서 깰 그대의 미소가 저 빛을 닮았기를 바라본다. 늘 그대의 곁에 있고 싶다. 눈을 뜨자마자 가장 먼저 보는 것이 그대의 잠든 모습이었으면 좋겠고, 내가 지치고 힘들 때 가장 먼저 기댈 수 있는 곳이 그대의 품 안이었으면 좋겠습니다.

어떤 한 찰나의 순간이었다. 그대의 검지가 탁자 위에서 까딱이며 춤추는 시간에 스치듯 흘러가는 미소가 그대의 입꼬리에서 머물다 가는, 눈 한 번 깜박이는 순간에 깊게도 그대에게 빠져들고 말았다. 그저 사랑이었다 라고 밖에 표현할 수 없는 감정이었다. 별똥별 하나가 꼬리를 늘어뜨리며 서쪽 하늘 저편으로 아스라이 질 때조차 나는 그대에게서 눈을 떼지 못하고 있었다. 세상 그 어떤 별빛인들 내 앞의 그대 눈빛보다 아름다울 수 있을까. 군청빛으로 가득 물든 하늘에 수없이 박힌 보석 같은 별들보다도 내 앞에 애틋한 미소로 앉아 있는 그대의 눈동자를 더욱 오래 보고 싶은 마음만 가득이다.

매일 행복하지는 않아도 행복한 일은 매일 있다는 말 🌙

너와 나란히 앉아 포근한 물안개처럼 김이 피어오르는 찻잔을 들고 오늘 하루에 대해 이야기를 한다. 창밖에 밝혀진 가로등 불빛 개수만큼, 초저녁 불 켜진 맞은편 아파트의 형광등 개수만큼 많은 말들이 서로에게 쏟아져 나온다. 슬쩍 방 안의 조도를 낮춰본다. 어둑한 주광등 불빛 아래 저만치 있는 물건들은 흐릿하게 형체만이 시야에 꽂히고, 눈 앞의 네 모습은 마치 대낮처럼 또렷하다. 떨리는 손으로 너의 뺨을 쓰다듬어 본다. 얼떤 대화에 약간 상기된 듯 네 살갗이 뜨겁다. 세상에 있는 모든 아름다운 말들을 떠올려본다. 예쁘다, 찬란하다, 빛난다, 사랑스럽다. 마치 그 모든 단어들이 너를 위해 생겨난 말인 것 같았다. 이 어둑한 불빛 아래에서도 너를 들여다보면 그 말들이 문득 떠오르는 것을 보면 말이다.

내가 거울을 들여다보는 빈도가 그리 많지는 않지만 가끔 거울 속에 비치는 내 모습을 보면 꽤나 변했구나 하는 것을 느끼게 된다. 나도 모르는 사이에 쳐져 있던 입꼬리는 말려 올라가 있고 눈빛에서는 묘한 생기가 흐른다. 이 모든 것이 너를 만났기 때문인 것 같다.

너를 만났을 때 나를 향해 짓던 미소에 반했고 낮지도 높지도 않은 목소리에 다시 한 번 빠져 들었고 너의 사고와 성격에 어느새 매료되어 버리고 말았었다. 매일 행복하지는 않아도 행복한 일은 매일 있다는 말이 사실이라는 것을 알게 된 건 모두 너 덕분이다. 아무리 힘들고 지친 어느 하루라도 너의 목소리에, 잠깐 마주치는 너의 모습에 금세 행복해지니 말이다.

오늘도 우리는 ☽

오늘도 어제처럼 해가 뜨고 서편으로 저물어갔고 밤이 오면서 어두운 하늘 한 구석에 반달이 자리했다. 일 년에 한 번 지구는 태양 주위를 공전한다. 결코 그 이상 다가서지 못하고 그저 서로의 언저리를 빙빙 맴돌며 한없이 애틋하게 그리워하는 것이다. 언제나 그대에게 있어 나는 중심이 되고 싶었다. 그대의 생각, 행동 그리고 무심코 나오는 작은 습관 하나까지도 다 나로 인한 것이고 나를 향한 것이기를 바라 마지않았다. 하지만 굳이 그러지 않아도 상관없는 일이 되어버렸다. 아니, 상관없다기보다는 이해하게 되었다는 표현이 더 옳은 것 같다. 그대가 지구라면 내가 달이자 태양이 되면 되는 일이니까. 그렇게 그대 삶에서 매일같이 뜨고 지고 당연하게 찾아오는 봄 같은 사람이 되면 되는 일이니까 말이다.

한 주를 보내고 눈을 뜨는 토요일 아침. 샤워를 하기 위해 찾은 화장실에는 거울이 나를 반기고 있었다. 눈을 비벼도 떨어지지 않는 마른 눈곱과 베개에 눌리고 헝클어진 머리카락, 목이 늘어난 티셔츠를 입은 내가 거울 안에서 나를 바라보고 있었다. 지난 고단함을 어떻게든 이겨내고 샤워기를 틀었다. 금수관 안에 고여

있던 찬물이 쏟아지고 이내 따뜻한 물이 정수리부터 관자놀이를 타고 턱으로 흘러내렸다. 너와 만나기로 한 시간이 얼마 남지 않았다. 티셔츠를 벗어던지고 니트를 꺼내 입었다. 꽤 즐겨 입는 슬랙스에 양다리를 한 번에 끼워 넣고 헤어드라이어로 머리를 말리고 컬크림을 발라 잔뜩 힘을 주었다.

너의 아름다움에 비해 100% 완벽한 멋진 모습은 아니지만 그래도 오늘 역시 우리는 세상 가장 완벽하고 사랑스러운 연인일 것이다.

이별

잊어야 할 시가 될 이야기

봄))

 나른하고 부드러운 11시였다. 나뭇잎 사이로 부서지는 햇살과 조심스러운 꽃향기가 풍겨오는 봄이었다. 문득 갈라진 생각을 비집고 네가 나타났다. 너는 드넓게 펼쳐진 적도 한가운데에 서서 이쪽을 바라본다. 시곗바늘은 12시에 가까워져 가고 나는 떨려오는 몸을 두 팔로 감싸 안았다. 그 검은 눈동자에 언젠가 빠져 죽을 것만 같았다. 미지근한 감상이었다. 나는 구름 한 점 없는 하늘이 새삼 두려워졌다. 혼자 우뚝 커버린 느낌이 들어 몸을 힘껏 움츠리고 눈을 감곤 했다. 우리 둘이 잃어버린 것을 봄은 기억하고 있다. 모두가 외면하는 자그만 그 시간들을 나는 아직도 소중히 품고 있다. 작은 몸을 한껏 펼치고 너는 뛰어내린다. 푸른 새는 울며 날아간다. 나는 그 날의 냄새를 잊지 못한다.

 자꾸만 나를 울리는 음이 있다. 꿈결 속에서 몇 번이고 반복되는, 낙인처럼 찍혀버린 노래가 있다. 흐물거리는 아스팔트 위에 잠시 몸을 눕힌다. 뼛 속까지 꽃향기가 침입하고 나는 조금씩 증발하여 뿌연 안개로 하늘에 뒤덮는다. 비를 내리고 싶었다.

 피어오르는 아지랑이에서는 너의 냄새가 났다.

끝없이 반복되는 일상과 걸어가는 사람들. 그런 것들이 조금씩 나를 외면해갔다. 그러니까 나는 더 이상 푸른 하늘 밑에선 살아갈 수 없을 것이다. 잊어야 하는 것들을 억지로 비집고 꺼내봐야만 지독하게 살아갈 수 있는 사람이 된 것이다. 멀어져 가는 네가 보였다. 그 순간 약속했다. 검은빛에 잠겨 익사하지는 않더라도 나는 꼭 언젠가 너를 위해 죽겠다고. 꽉 쥔 주먹에 너는 미련 없이 빙긋 웃어 보이며 산산이 부서졌다.

활자가 조금씩 녹아만 간다. 글자들에게도 마지막은 있다. 봄은 내가 유난히 길게 살아가는 계절이다.

너를 보낸 계절이기 때문에.

여름 ☽

새파란 파도들이 밀려와 전해주는 당신의 소식. 멀리 떠난 그곳에도 여름이 지나가고 있는가요. 이제 눈물을 그쳐도 되는 걸까요. 바스락 거리는 소리가 아픔으로 다가오지 않아도 되는 걸까요. 짧은 하루에도 몇 번씩 솟아오르는 통증에 소리 내어 울어봐도 괜찮을까요. 수 없이 써 보낸 엽서들은 잘 받으셨나요. 더 일찍 전하지 못해 서러운 이 진심을 열어보셨나요. 잔잔한 파도소리, 꼭 그것이 당신 웃음소리 같았다고 제가 말했던 것 기억나시나요. 발가락 사이를 간지럽히는 모래알들, 낮게 수면 위로 날아오르는 새들. 당신은 바다를 닮았다고 말했을 때 무엇보다 아름다운 미소를 지었던 것 기억나실까요.

이제는 잡아볼 수 없는 손이 오래 잔상으로 남아서 이렇게나 아픈 걸까요. 내가 알 수도 없게 당신이 스며들어서 차마 보낼 수 없는 걸까요. 당신이 없는 이 여름에 누구와 이 바다를 보러 와야 할까요.

당신은 바다를 닮아서 나에게로 밀려왔고 잡을 새도 없이 사라져 버린, 쥐었다 생각하니 손 틈새로 흘러가는 그런 삶이었어요. 홀로 맞는 이 햇살이 혹시

날 안아주는 당신일까 봐 쉽게 자릴 떠나지 못하고 있
다는 걸 아시나요.

　돌아갈 수 없다는 걸 너무나도 잘 알지만 그럼에도
잊을 수가 없어서 바보처럼 모래 위에 당신 이름 세
글자만 새겨보고 밀려오는 파도에 또 지워보고 쓸쓸히
지나가는 여름 냄새에 또 울어버리는 날 아시나요.

가을 ☽

　나는 가을 노을이 반사된 건물 빛을 그리워하고 새파란 하늘이 서서히 무너져 가는 것을, 그 위를 표류하는 철새들을 사랑했다. 어둠이 내린 줄도 모르고 멍하니 걷다가 또 그렇게 길을 잃고야 마는 이 밤에 공기를 부유하는 애틋한 기억들을 그토록 보고 싶어 했던 것이다.

　그 어느 날 해 질 녘에 서럽고 무거운 가방을 이고 집으로 걸어올 때면 땅에서 높이 솟은 우리 집 창문은 새빨갛게 물든 것이 꼭 불이 난 것만 같았다. 서서히 번져가는 그 불길들이 어느새 저 하늘 구름까지 미쳤을 때엔 나도 모르게 무언가가 잔뜩 그리워져 불길이 옮았는지 달아오른 눈가를 꾹꾹 누르며 한참을 그 자리에 서서 이제는 많이도 멀어져 버렸다고 생각한다. 분명 참으로 가까웠던 장소가 이제는 정말 멀어져 버렸다고. 나는 그것이 못내 서러웠지만 예전처럼 무너지지도, 울지도 못했다. 하늘이 올려다 보이는 그 자리에 한참을 서서 노을이 붙이는 불들을 잠깐 바라보고 있을 뿐이다.

　남들은 살면서 한 번 잃는다는 길을 나는 참 자주도

잃어버렸다. 작은 숨소리가 새어 나오는 한밤중을 걸으면 꼭 건물들이 나를 지나쳐 내달리는 것만 같다.

영원히 너와 함께였던 그때 그 시간일 것만 같던 골목길 슈퍼도 지나가 버리고 이제는 아무도 앉아 있지 않는 서늘한 그네도, 내가 좋아했던 그늘이 시원한 나무도 달려서 모든 게 사라져 버린 자리에 언제나 나만 홀로 앉아 있을 것만 같은 착각이 든다. 서글퍼 떨어진 꽃잎들이 즈려 밟히는 계절에 나는 아직도 놓지 못한 것들이 많다.

이제는 절판된 책의 마지막 구절과 유독 외로움을 많이 타던 시인의 단어. 여전히 책장 사이사이에 꽂혀 있는 엽서들과 이제는 빛이 많이 바랜 폴라로이드 사진. 한때는 품에 가득히 담아야 마음이 놓였던, 그러니까 돌아옴이 더 이상 돌아옴이 아닐 때에 아직도 당신이 여기에 있었기에 산산이 부서진 것들을 한 점씩 주워 담아 서랍장 구석의 작은 상자에 모아두었다. 그리고 모두가 떠나 버린 길 가운데 아직도 나는 서 있다.

겨울 ☽

이따금씩은 답도 없이 눅눅하고 불안정했다. 꼭 전생의 기억이 발목에 눌어붙은 듯이 온몸이 욱신거리고 가슴팍이 찡하게 저려왔다. 채도 낮은 눈동자가 문득 생각날 때마다 나는 온도가 낮은 손가락을 쥐었다 폈다 하며 그렇게 스스로를 달래 보았다. 오랫동안 사람의 애정이 두려워 울었다.

태어날 적부터 천성적으로 허약한 나는 무엇이든 쉽게 옮아와서 오래 앓았다. 애정에 다른 게 섞여 들면 거기서부턴 대체로 사랑이라고 부를 수가 없단다. 그럼 그건 뭐라고 부르는데?

'병이지'

짧게 들이마시는 숨 그건 끝내 손에도 못 넣을 아주 지독한 병이야. 고요히 내놓은 한숨 같은 대답. 바람에 스치는 나무를 눈으로 좇던 시선이, 망설이며 좇던 발걸음에 으스러지는 눈밭의 소리가 아직까지도 생생하다. 나는 꼭 익사의 기억이 남은 물고기처럼 하늘을 향해 연심 숨을 들이마셨다.

나는 어딘가 남들보다 훨씬 가라앉은 눈동자를 쉽게 지나치질 못했다. 생에 어느 한 번 무너진 적 있던 사람들은 헌 마음을 쉽게 내놓고, 가시 돋친 애정은 아픈 줄 알면서 꿀꺽 삼켜버린다.

샤워기에서 떨어지는 물줄기를 맞다가 문득 당신의 마지막 글자로 시작된 내 이름을 입 안에서 조용히 불러본다. 당신은 나로서 끝맺어지고 나는 당신으로부터 태어난다.

당신이 주는 것들은 그 어떤 것이든 달게 삼킬 수 있으니 이건 사랑이라곤 부를 수 없나 보다. 뒤따라오는 모든 것들이 변해도 끝내 바꿀 수는 없는 나의 근본, 나의 검은 그림자 어둠, 해가 진 하늘 같은 밤바다. 당신이 나를 그렇게 불러줬으면 좋겠다. 바깥은 아직도 창백한데 눈 쌓이는 소리가 들린다. 부르튼 손가락을 들어 수도꼭지를 잠근다. 폭삭 젖은 앞머리를 따라 쉽게 냉기가 돌았다.

생의 기억이 눌어붙은 계절, 겨울이 다시 돌아왔다.

감기 ☽

　작년 봄, 그녀를 지독하게 좋아했었다. 함께 춤을 출 때면 우리는 손을 잡고 한 바퀴 빙글 돌며 멀어졌다가 다시 꼭 붙었다가 멀어졌었다. 그 때마다 그녀에게선 약간의 땀 냄새와 길가다 흔히 맡을 수 있는 흔해 빠진 향수의 냄새가 났다. 나는 그 냄새를 좋아했었다. 그녀는 흔해 빠진 향수를 뿌리는, 새하얀 피부에서 달큼한 냄새가 나는 그런 여자였다. 길을 걷다 흔하게 맡을 수 있는 그 향기가 아직도 내겐 그녀의 향기라서 다른 여자의 몸에서 그 향기를 맡게 될 때면 나는 조금 심술이 나곤 했다.

　작년 여름 밤, 소주를 두 병쯤 마시고 나는 그녀에게 서툰 말로 마음을 고백했었다. 그녀의 눈을 볼 수 없어 고개를 숙인채 병뚜껑을 구기던 나의 얼굴을 들어 올려 그녀는 내 입술에 여러 번 입술을 맞추었다. 술집에 우리 외에 다른 손님은 없다는 듯이 테이블 위로 몸을 숙여 여러 번 입을 맞추었다. 술에 취해 입술에 아무 감각도 느껴지지 않았다. 전혀 놀라지도 않았고 행복하지도, 기쁘지도 않았다.

　작년 가을, 지독하게 감기가 걸렸던 그녀는 밤새 콜록

였다. 그녀와 나는 지독히도 여러 번 키스를 했고, 밤
새 사랑을 나누었기 때문에 그녀와 보냈던 며칠 동안
감기가 옮지 않는 게 이상한 일이였다.

다시 돌아온 봄, 그녀는 떠났다. 누군가에게로. 그녀
가 떠난 이후 나는 감기에 걸려 오랜 시간 통증과 발
열에 시달려야 했다. 정말 지독히도 나를 놓아주지 않
던 감기. 하지만 나는 그토록 괴로워하면서도 감기가
낫지 않길 바랬다. 미련하게도.

우린 사랑해선 안 될 사이였다.
우린 사랑할 수 없는 사이였다.

습관 ♪

　마음이 자꾸 그대를 찾는다. 그대의 자취를 알고 있으면서도 자꾸만 그대의 존재를 갈구하고 열망한다. 손가락 하나를 튕기면 닿을 거리에서 서로의 콧잔등을 비비며 미간을 찌푸리는 미소에 또 한 번 가슴이 쿵하고 내려앉는 기분 좋은 두근거림을 자꾸만 원하게 된다. 하지만 오늘도 그대의 얼굴을 볼 수 없다. 그대의 목덜미에서 나는 은은한 향수가 코끝을 간지럽히는 그 느낌을 영원히 받지 못한다. 그럼에도 자꾸만 그대의 자취는 왼쪽 가슴 깊은 곳에서부터 쿵쿵하며 발자국을 찍는다. 그렇게 또 그대를 찾으라고 나를 부추긴다.

　그대가 나를 떠난 후부터 많은 습관이 생겼다. 바르는 화장품이라곤 로션 뿐이었던 내가 바디로션 좀 제발 바르라던 그대의 잔소리가 계속 해서 떠올라 샤워를 하면 가장 먼저 바디로션을 바르게 되었고, 아무리 무더운 날이어도 선크림 따위 바르지 않던 내가 밤에도 선크림 바르고 나가는 게 좋다는 그대의 말 한마디가 떠올라 한두 시간 잠깐 외출하더라도 선크림을 꼭 바르게 되었고, 입술이 트든 말든 상관쓰지 않던 내가 립밤은 항상 가지고 다니며 자주 바르던 그대의 걱정이 떠올라 늘 주머니에 넣고 다니게 되었다.

그대를 가슴에만 담게 되면서 내게 나타난 현상이었다.

그래, 이것이 그리움이고 미련이구나.

고백 》

　나는 너의 단발머리와 긴머리 사이에 위치한 그 머리가 좋았다. 비어있는 듯 하지만 무언가에 집중을 하거나 바라볼 때 투명하게 반짝거리는 네 두 눈이 좋았다. 눈을 감고 있을 때 보이는 긴 속눈썹도 좋았다. 너는 셀카를 찍을 때 보이는 볼살이 맘에 들지 않는다고 했지만 나는 왠지 모르게 매력적으로만 보였다. 나와 함께 사진을 찍으며 잠깐 보았던 너의 이마저저도 이뻐 보였다. 늘 건조해 보이지만 그 역시도 립밤을 발라주면 이뻐보이기만 했던 너의 입술도 좋았다. 늘 차분했고 가끔 장난칠 때에 나오는 너의 또 다른 목소리. 너의 모든 것이 좋았다.

　내가 너의 스케줄을 전부 꿰고 있는 것을 보고 주위 사람들은 내가 너의 천생연분 같다고 말했었는데, 나는 그런 말을 들을 때마다 어깨를 으쓱했다. 네 옆에는 역시 내가 있어야겠다는 생각을 하며 평생을 함께하면 얼마나 좋았을까라는 생각을 몇 번이고 속으로 곱씹어냈었다. 너는 평생 모르겠지만.

　나는 네가 힘들어 지쳐 쓰러지고 싶을 때 언제든지 편하게 기대어 쉴 수 있는 버팀목이 되고 싶었고,

네가 힘들 때 내게 기대었으면 좋겠다는 생각을 많이 했었다. 나는 그 누구보다 네게 좋은 말로 위로와 안정을 안겨줄 자신이 있었으니까. 너는 나에게 하늘 같았고, 나는 그런 너를 담을 수 있는 바다가 되고 싶었다.

평소 네가 내게만 이야기했을 것 같은 너의 감정들이 너무 소중했다. 너는 내 앞에서만큼은 억지웃음을 짓지 않았고, 우울하면 우울하다는 걸 숨김없이 드러냈으니까. 가끔 너 때문에 나까지 우울해지기도 했지만 그건 너를 걱정했기 때문이고 다른 이유는 없었다.

지나가는 말이었을지 모르지만 네가 내게 솔직한 감정을 들어줘서 고맙다 말하던 너를 나는 잊지 못할 것 같다. 평생 들은 말 중에 그 말보다 가치가 높던 말은 내게 없었기에.

어른))

지난날들을 되짚어 보면 웃음밖에 나오지가 않는다. 뭣도 모르고 내가 어른인 줄로만 알았던 지난날의 내가 보여서, 내가 보는 세상이 전부인 줄 알았던 나와 이별이 필연적이라는 걸 알면서도 기어코 연애를 했었던 내가 보여서. 그런 것들을 생각하면 늘 웃음이 났다. 웃음이 나올 때마다 나는 너를 만나며 끊었던 담배를 또 다시 피웠다. 왜인지는 모르겠지만 늘 그러했다. 매캐한 연기가 피어오르면 그게 꼭 내 감정 같았다. 한숨을 내쉬면 그 한숨이 연기가 되니까. 지금의 나조차 어른이 되지 못했는데 지난날의 나는 왜 벌써 어른이 된 것처럼, 꼭 다 자라 버린 것처럼 울었는지 참. 그렇게 아파할 필요도 없었는데도, 아픔을 애써 포장할 필요도 없었는데도 지난날의 나는 그랬다.

내가 손을 뻗었더라면 달라졌을지도 모를 일이었겠지. 하지만 이미 많은 시간이 흘렀고 시간 위를, 지금까지 걸어온 길을 되돌아 갈 수는 없다.

그렇다고 아직도 아픔을 잊지 못한 나를 가엽게 여겨 이별을 선택한 나를 탓하고 불쌍하게 여기고 안아주어도 달라지는 건 아무것도 없다. 그래도 지난날들을 회상하며 행복했던 날로 잠시 돌아가는 건 괜찮겠지. 담배 연기 사이로 보이는 네가 내게 무슨 생각을 하게 만들었는지 알기는 할까. 아니, 궁금하긴 할까. 몸에 해로운 걸 알면서도 너의 웃음 한 번 더 보려고 해로움마저 잊어버리고 또 한 대를 입에 물고 불을 붙인다.

하지만 현실은 어찌 그리 빠른지 내가 상상했던 모습은 담배 연기와 함께 사라져 버렸고 평소와 다른 내 모습으로 연기하게 만들었다. 적막한 공기 속에서 굳게 닫힌 내 마음은 살갑게 굴던 내 모습도 온데간데없게 만들었고 지금은 담배를 알기 전처럼 널 대하고 있다. 또다시 어른이라는 도착지에서 멀어지고 있다는 것이겠지.

착각 ☽

네 24시간 중 24분의 1도 내가 존재하지 않는다는 걸 깨달았을 때는 너의 뒷모습을 하염없이 바라보던 때였던 걸로 기억한다. 작은 손으로 인사를 하며 일말의 아쉬움도 없이 다음에 또 만나자는 뻔한 약속이 오가지도 않던 싸늘했던 그 시간. 모든 시간이 무색하도록 스쳐 지나간 아쉬움, 흔적도 없이 사라져 있었는지도 모르는 여러 감정의 집합체.

따뜻한 카페모카와 녹차라떼가 책상 한 칸을 차지하던 그 시간을 위했던 내 노력, 달달하고 상큼하던 냄새와 대조되던 슬픈 사랑노래, 웃음으로 포장되어 있긴 했지만 나는 그 시간에서 이질감을 느꼈던 터라 나와 함께 있는 것이 네게는 달갑지 않구나 라고 생각했다. 사실 나는 그때 우리 사이의 끝을 보았어. 더 이상 네게 연락할 구실을 만들어 낼 필요가 없게 되었구나. 너에게 내 자리란 밤하늘의 콩만한 별만큼도 없을 정도로 다른 누군가로 채워졌구나 하는 다양한 감정과 함께.

사람은 너무나 섬세한 감정을 가지고 살아서 이따금씩 소중함의 가치를 일깨우고 또 자신의 불안한 마음

을 충족하고 싶어 한다. 예를 들면 사랑하는 사람에게
나는 네게 어떤 존재냐고 물어보는 것. 내가 네게 불편
함이 되고 있지는 않은지 또 내가 즐거운 것처럼 너도
나와 함께하는 시간이 아깝기는커녕 벚꽃잎 흩날리는
대공원의 풍경처럼 아름답게만 피어있는지.

　다양한 감정이 그저 내 착각인지 너의 마음을 확인
하고 싶다. 너도 나와 같은 마음일까 아니면 나와 다른
길을 걸어가고 있는지. 너와 함께 걷고 싶다는 이 생각
이 단순히 내 착각이 아니기를 나는 매일매일 기도하
고 있다.

인사 ☽

　서서히 물들어가는 여름밤이 조금은 서럽고 축축했던 지난 봄을 조심스레 걸어가는 지금 저는 당신을 떠올렸습니다. 그것이 마치 죄인 것처럼 가슴이 답답하고 괴롭다가도 혀끝에서 선뜩 올라오는 물음이 꽤나 달콤하고 따뜻한 맛이 났기에, 이 늦은 밤에 몸을 일으켜 이리도 긴 글을 적어 내려가고 있는 건지도 모르겠습니다. 그러니 부디 당신은 이 글을 읽지 못했으면 합니다. 돌돌 말아 넣은 자그만 쪽지 대신 급한 대로 써 내려가는 이 서투른 마음을 부디 당신만큼은 몰랐으면 좋겠습니다.

　사랑이 고개를 내밀 때마다 나는 자주 울었습니다. 때로는 길거리에 짓이겨진 꽃잎을 보다가도, 눈물 자국이 깊게 남은 시집의 페이지를 들춰보다가도 꼭 어딘가 깨어진 것처럼 눈물이 새어 나왔습니다. 이 작은 마음들을 팔아 당신에게 행복을 안겨만 주고 싶은데, 그게 좀처럼 쉽지가 않아서 그래서 계절을 따라 떠가는 구름들을 보다가 무너졌던 어느 날처럼 나는 같은 피가 도는 온기가 그립다가도 일순간 한없이 고요해지곤 했습니다. 버림받은 기억이 커다랗게 자리 잡아서, 가슴의 흉터가 채 낫지를 못해서 그렇게나 숨고

도망쳤던 것입니다. 그럼에도 나는 왜 바보같이 계속 당신을 좋아했을까요. 당신은 어째서 그 차가운 마음을 쏟아지는 별들로 바꿔놓고 나에게 밤하늘을 안겨다 준 건가요. 왜 당신의 꿈 곁을 서성이며 머뭇거리게 합니까. 한없이 연약하고 부서지기 쉬운 이 마음을 손에 쥐고서 울게 만듭니까.

물어도, 부추겨도 답은 돌아오지 않겠죠. 계절이 한 방향으로만 흐르듯이 그 휘어진 눈꺼풀 위로 스르륵 흘러가 버리겠죠. 차라리 바다에 닿았으면 좋겠습니다. 파도로 인해 저 멀리 휩쓸려가 당신이 다시는 내 눈에 닿지 않았으면 합니다.

그렇기에 염치없이 나는 당신에게 부탁합니다. 부디 이 하얗고 투명한 글들을 보지 말아주세요.

그저 오늘 밤은 편안한 잠에 들어 행복한 꿈을 꾸어 주세요. 제 편지는 또 어딘가로 떠내려가거나, 낡은 서랍 속에 갇혀 지내겠지요. 어쩌면 펼쳐지지 않을까, 누군가가 들여다 봐주진 않을까 하는 헛된 희망들을 품어가면서.

그럼 안녕. 이 글을 멀리 하더라도,
부디 제 이름 두 글자를 잊지 말아 주세요.

기도 ☽

하늘이 유독 깊어서 울지 않을 수 없는 날.

그런 날에는 어김없이 당신을 떠올려야 했다. 이 시리도록 푸른 봄을 모두 살아내고도 차마 닿아볼 수 없는 사람아. 손끝에 남아있는 다정한 온기가 원망스럽다.

평생 나를 보지 못할 두 눈이 향하는 곳이 내가 시를 쓸 마지막 자리가 되기를.

차라리 당신이 나의 신이길 바란다. 다만 욕망이 죄가 되지 않기를, 고해성사를 빙자한 이 사랑고백이 당신이라는 종교의 교리가 되기를, 차게 식은 나의 영혼을 거둬주는 건 당신이기를. 내 눈물을 모아 매일을 간절히 기도했다. 그럼에도 지금은 밤이기에 자리에 앉는다. 당신은 평생을 다 살아내도 읽어내질 못할 책. 나는 마지막 페이지를 넘기고 나서야 그 아래에 조용히 내 이름을 끄적일 수 있었다. 목이 터져버릴듯 외칠 나의 구원에게.
그 기억 속에서 나를 찾아내 주세요.
내가 사라지지 않도록.

세포 ☾

너만 생각하면 내 몸의 세포가 모두 산화되는 것 같았다. 차라리 날 미워한다면 좋을 것을 내 삶은 이미 너로 얼룩져 있지만 정이라는 이름 하나로 얽혀있기에는 내가 너무 변해버린 까닭이 크다. 울면서 애원하는 그 모습이 눈에 새겨질 때 더 이상 아픔을 느낄 수 없을 줄 알았는데 그만큼 큰 착각이 없었다.

찢어지는 듯한 고통에도 너를 안아줄 자신이 없어서, 뒤돌아보는 것도, 손을 잡아주는 것도 못하는 나쁘고 바보 같던 나를 뿌리치고 멀리 가주면 좋겠다. 다섯 걸음 남짓 나를 버리고 가다 다시 돌아오는 그 마음이 나에게 더 큰 상처가 되어 너를 안아주기에는 내가 너무 아파 안아줄 손이 없다.

사무치는 마음이 나를 파고들어도 이내 눈물이 나오지 않는 건 눈물을 다 써버려서라고 누군가 말해주면 좋겠다. 그만큼 이기적인 내가 너를 사랑할 수 없게 나를 내버려두고 철저히 비난해주면 좋겠다. 나는 세상에서 제일 나쁘고 못된 사람으로, 너는 세상에서 제일 당당하고 비참한 사람으로 기억하며.

마지막 모습이 아른거리지만 문득 드는 생각

'우리가 한 건 사랑이었을까?

사랑이라면 이렇게 아픈 사랑은 없을텐데 말이다.

미련 ☽

　하나의 사랑을 마무리 했을 때 내가 잊지 못하는 건 사랑을 공유했던 그 사람인거라 생각하며 살아왔다. 그러나 시간이 지나면 지날수록 아니란걸 깨달았다. 더욱 진한 색채로 남아있는 건 그 사람의 얼굴도, 온기도 아닌 그 때 나의 아주 맑고 함초롬했던 마음 그 자체였다는 걸.

　내가 이미 지나가버린 사랑에 대하여 언제나 1g만큼의 애틋한 감정을 간직하며 살아가는 이유는 그 사람에 대한 그리움보다는 그 때의 내가 발산해내었던 그 모든 사랑들에 대한 미련 때문이 아닐까 하는 생각이 든다. 어떤 것도 거칠 것이 없었던 거짓 없는 순수한 마음. 지금 이 사람과 영원에 점을 찍길 바랬던 아릴 듯 간절했던 마음. 그랬던 나의 마음 그 자체에 대한 아쉬움.

　그렇게까지 내 모든 마음을 활짝 열어본 적이 없었는데 앞으로 내가 또 누군가에게 그만큼 용감할 수 있을까 하는 '미련' 이라는 것도 다 온전히 나를 향한 이기적인 마음에서 비롯된 것인지도 모르겠다는 생각. 그렇게 남은 1g을 더 새롭고 아프고 강렬한 색으로 덧칠해 줄 누군가를 찾아 끊임 없이 미련을 덜어내고 또 담아내고 또 덜어내는 과정을 반복하려는 건지도.

이 역시 이기적이다.

유서 ☽

　바람이 분다. 꼭 무언가 남았다는 듯이 바다를, 온 세상을 어루만지며 귓가를 간지럽히는 바람이 계절이 지나가고 있음을 속삭인다. 야속하게도 시간은 언제든지 나를 두고 갈 수 있다는 것을 알고 있다. 이 장면 속에 오로지 자신을 남겨둔 채로.

　그토록 그리워한 이의 이름이 무엇이었지. 무엇이 그리 가슴이 아리고 시려 이 몸을 뜯어내고 긁어내서 이토록 너덜너덜한 넝마로 만들었나. 눈물을 흘리는 것도 지겨워 모두 토해내려 억지로 목구멍을 헤집어본 적도 있었다. 저 언저리 구석의 슬픔 한 줌까지 남김없이 쓸어내려 버리려고.

　그렇게 해서라도 당신을 잊으면 편해지지 않을까. 그런 착각을 하면서까지. 우습게도 그 밤 어지러운 머릿속을 다잡고 비릿한 피 냄새 속에서 잠이 깨었을 때 당신을 떠올렸다. 보고 싶다고, 이 손안에 한 번이라도 가득 쥐어보고 싶다고. 거울 속 자신의 비루함이 안타까워 헛웃음이 났다.

썩은 동태 같은 눈을 하고서도 나는 입꼬리를 조금 올려 보였다. 우리 조금만 더 함께하면 안 될까? 아주 조금만 더.

잊을 수 없다는 것을 안다. 간단히 포기할 수 없다는 것도. 세상에 신이라는 게 정말 존재한다면, 일생에 한 번이라도 그 모습을 드러내는 것이라면 나에게 내려온 당신이 그 신의 형상을 띄고 있었으므로. 허탈하게 웃는다.

주머니 속에 꽂아 넣은 손을 연신 꼼지락거리며 울먹임을 참는다. 이토록 아파도, 흉이 지고 곪아 부어오르더라도 나에게 당신을 도려내기란 불가능했다. 이미 깊게 박혀 버린 당신이 내 일부가 되어 버린 지 오래였으니까.

아직 살아있음을 핑계로 내일 아침을 기대해본다. 비록 아무것도 변하지 않더라도, 무엇도 곁에 없더라도 내겐 어렴풋이 당신의 기척이 함께한다.

언제나 고요히 그곳에 서있다. 나를 향해 희미하게
웃어 보인다. 그 모든 게 허상일지라도, 거짓일지라도
그것으로 나는 살아갈 수 있다. 그렇게 다시 한번 사랑
하는 세 글자를 입으로 곱씹는다. 삼켜내면 저 밑바닥
까지 쓰라려오는 이름.

나는 유서에 당신 이름을 적어 두었다.

편지 ♪

　너를 생각하면 쉽게 죽을 수 있을 것 같았다. 네 앞에선 어떤 단어도, 문장도 입 밖으로 꺼내면 모두 가치 없는 것들이 되어버린 것 같았다. 그렇기에 나는 사랑으로도, 갈증으로도, 세상의 어떤 단어로도 너를 정의 내릴 수가 없었다. 넓은 밤이 지나도 겨울은 끝이 나질 않는다. 너를 기다릴 수 있는 시간은 점점 짧아지는데 나는 수도 없이 많은 죽음들을 보았고 마지막은 언제나 고요히 똬리를 틀고 밤을 지새운다. 눈물에 젖은 소매를 널어놓았다. 저 눈물이 모여 내일은 비가 왔으면, 모든 것이 씻겨 내려가 흔적도 남지 않기를. 나는 마주할 것들을 밀어내고 내 글들이 닿을 곳을 찾아 비틀거리며 걸어 다니다 그렇게 죽었다. 숨을 멈추고 두 팔로 나를 꽉 끌어안은 채 잠에 들었다. 내 멎은 심장까지 도려내 당신에게 주고 싶었다. 죽음 끝에 마주해서도 나는 너의 이름 세 글자에 쉽게 무너지고, 자주 울었다. 내 장례식에는 힘찬 소나기가 내렸으면 한다. 모든 것이 흔적도 없이 그렇게 사라지길. 사랑을 했건, 원망을 했건 그런 것들은 죽은 자 앞에서는 아무런 소용이 없다. 너에겐 쓸 마지막 편지지를 펼쳐보았다. 하지만 자꾸만 눈가가 시큰거려 아무것도 적을 수 없었다.

악몽))

꿈을 꾸었다. 파도는 끝도 없이 밀려와 너의 잔해들을 전해준다. 소중히 간직하기엔 아직 어린 자신이 두려웠다. 가만히 파도 소리에 귀를 기울인다. 그 속을 타고 올 목소리들을 듣는다. 가라앉기 싫어 바다를 미워하기엔 그 속에 두고 온 것들이 너무 많았다. 너와 눈이 마주친 순간에 나는 어떤 망설임도 없이 너에게 뛰어들었다. 그렇게 가라앉으며 너의 밤이 나의 새벽의 연장선이 되고, 너의 기분이 나의 죽은 언어들의 메타포가 되고, 네가 미워하던 것들이 깔린 밑바닥에 내 육신이 닿았을 때 그제야 너의 무덤을 찾아냈다. 어느 때보다도 고요하게 밤의 바다를 지키는, 그토록 바다가 내게 전해주려 했던 진실을 그제야 내 눈에 담았다. 다시 돌아올 계절을 기다리기엔 봄은 이미 지나버렸고 창조의 시기를 지나친 모든 것들은 도태되어가며 내 의식 저편의 너의 얼굴에 먼지가 쌓일 때쯤 나는 꿈에서 순식간에 내팽개쳐지며 다가오는 죽음의 발자국 소리를 들었다. 멀어져 가는지 내게 다가오는지 그것조차 알 수가 없었다.

거울 앞에 서서 흘러내리는 입가를 애써 들어 올린다. 미세하게 물내음이 퍼져있는 코를 막고 욕조를 물로 가득 채운다. 숨을 들이마신다. 아주 천천히, 온 신경을 곤두세우고 온 폐로, 가슴으로, 내 모든 것으로 물을 받아들인다. 난 인어가 되어야 해. 물속에서도 눈을 감지 않도록. 저 밑바닥에 가라앉은 너의 시체를 돌려받아야지. 이 끝없는 갈증을 메워야지.

모든 것의 시작점으로 돌아가서 다른 결말을 써 내려가야지. 시간이나 공간이나 그런 것들은 다 무지해 버리고 오직 눈앞의 서로에게만 집중하자. 우리는 붉은 달 아래에서만 살아갈 수 있으니 이 세계가 파멸하는 순간 우리는 튀어 오르자. 저 물길을 거슬러 오르는 연어들처럼 모든 수면을 도약 삼아 하늘에 닿아보자. 거짓 따윈 없는 세상으로 가는 거야. 당장 내일의 아침이나 인류의 존속 따윈 신경 쓰지 않아도 아름다운 바다가 존재하는 곳이면 우린 살아갈 수 있을 거야.

마침내 네가 시퍼런 눈을 뜨고 다시는 놓지 않을 네 손을 잡는 순간 내가 눈을 뜬 곳에서 나는 지겨울 정도로 흘러가는 내 방 시계의 초침 소리와 발자국 소리가 들렸다. 멀어지는지 다가오는지 모를 소리.

걱정 ☽

아무것도 묻지 못한다.

왜 아픈 건지 어디가 아픈 건지, 지금은 잘 지내고 있는지 잘 못 지내고 있는지, 왜 그토록 나를 밀어냈는지. 그냥 걱정해주는 사람 한 명 더 있는 것. 그거 하나뿐인데. 그저 당신 위하는 수많은 사람 중에 한 명이라고 생각해주면 좋았을 텐데.

나는 아무것도 물을 수가 없다. 물론 물어본다 한들 어떤 대답조차 들을 수 없었겠지만. 더 이상 용기가 생기지 않는다. 당연히 용기가 안나겠지. 카카오톡의 1은 지금까지도 그리고 영원히 사라지지 않을 텐데. 내가 그걸 어떻게 견뎌. 그래서 아무 말도, 그 무엇도 할 수가 없어. 우리가 더 이상 우리가 아니게 되어버린 그 이후로.

차라리 못된 욕이라도 해주던가, 날 좋아한 적 없다고 말이라도 해주던가, 우리 사이는 그저 지나가는 바람과 다를 게 없었다고 말해주지. 너를 미워할 수 있게 모진 말이라도 뱉고 가버리지. 그렇게 숨어버리고, 도망가버리고, 그저 지워버리면 난 아무 대답도 듣지 못한 채 이렇게 침묵할 수밖에, 깊은 미련에 빠질 수밖에 없잖아.

그래서 나는 아무것도 안 하려고 해. 더 비참해질 뿐이니까, 두 번은 죽기 싫으니까, 더 이상 이별이라 쓰고 몰락이라고 읽는 삶의 추락을 다신 겪고 싶지 않으니까.

그래도 아프지 마, 힘들게 살지도 말고, 미련 같은 거 가지지마 무엇에든. 한 번씩은 쉬어가며 살아. 여유를 가지며 항상 기분 좋은 마음으로 지내. 쓸데없는 감정 소모라고 생각하지 말고 잠시라도 내려놓고 현실을 지내. 조금은 웃으면서 지내. 너무 무리하지도 말고, 너를 괴롭히는 것들엔 신경을 조금 덜 써도 괜찮아. 가끔은 이기적이게 살아도 괜찮다는 것도 알았으면 좋겠어.

넌 지금까지 뭐든지 잘해왔고 지금도 잘하고 있다는 걸 알았으면 해. 조금은 더 자유롭게 살았으면 좋겠어. 얽매인 삶은 사람을 지치게 하고 재미없잖아.

부디
잘 살아내줘.

무제 ☽

나는 네가 걸음이 빠른 사람이었으면 좋겠어.
어디에도 휩쓸려 가벼이 목숨을 잃지 않도록.

나는 네가 너의 슬픔으로부터 쉽게 도망쳐버리는 사
람이었으면 좋겠어.
그게 무책임하고 비겁한 건 아니니까.

모란은 시들어도 꽃인데, 너는 져버리면 다시는 돌아
오지 않을 거잖아. 그렇지? 불이 꺼진 영안실에 꼿꼿이
서서 네 창백한 손을 꽉 쥐는 상상을 한다. 다시 이 손
에 피가 흐르는 순간을, 네 눈꺼풀이 잘게 떨리며 들썩
이는 시간을 기다린다. 새벽의 헛된 푸름이 벽 한 편을
칠할 때까지, 손끝부터 서서히 옮아오는 냉기가 내 심
장을 얼어붙게 할 때까지. 이제 그만 일어서서 전부 거
짓말이었다고 말해주면 안될까.

그러나 거짓말처럼 너는 숨을 쉬지 않는다. 그때부터
내 삶은 장례식이 되었다. 나는 고개를 들지 못한다.
쉬이 낭비했던 말조차도 내뱉지 못한다. 나는 차마 너
의 영정 사진을 볼 수 없다. 웃는 너를 볼 수가 없다.
눈을 마주하게 된다면 무너질 것만 같아서, 부서져

버릴 것이다. 하지만 알고 있다. 이미 모든 것이 불이 지나간 자리처럼 시커멓게 그을려졌다는 것을, 부서지지 못한 재가 머리 위를 부유하고 있다는 것을.

내가 결국에는 홀로 남았다는 사실을.

혹시라도 걷고 싶은 길이, 담고 싶은 풍경이 생긴다면 언젠가 내 꿈에 몰래 찾아와도 돼. 내 심장을 너에게 줄게. 하루를, 아니 온전히 내 생을 다 가져가도 좋아. 네 두 발로 걷고 천천히 입술을 열어 오래 참았던 숨을 내뱉어줘. 하지만 넌 찾아오지 않을 것이란 걸 안다. 네가 빌어먹게 매정한 사람이란 걸 안다.

가슴을 바닥에 대고 바짝 엎드리면 '쿵쿵' 온 혈관을 따라 고동이 흐른다. 네가 아직 가져가지 않은 내 심장이 발버둥치는 소리. 나는 그것이 견딜 수 없이 역겨워 몸을 뒤척인다.

누구도 알지 못하도록.
내가 살아있는 것을, 아직 너의 이름을 기억하고 있다는 것을.

생일 ☾

펜을 들었다 놓았다를 반복하기를 몇 번. 생일 축하해라고 써야 할지, 안녕이라고 써야 할지 자꾸만 망설이고 있었다. 너의 눈길을 한 번에 사로잡을 수 있을 말 무엇이 있을까. 첫 줄부터 너의 가슴을 설레게 할 수 있는, 다시 나를 바라보게 할 수 있는 말이 무엇이 있을까. 해는 어느덧 저만치 솟아있는 산 너머로 기울어가고 있는데 펜 끝에서 서성이는 잉크는 아직도 갈 곳을 모르고 가슴에만 번져간다. '사랑하는 당신에게' '미안해, 보고 싶어'

우리의 마지막 날, 그럴 수 있는 일이라고 스스로를 위로하며 서운함을 감춰둔 채 너의 손을 잡아줬어도 됐을 일인데. 그때 그랬다면, 조용히 너의 손을 잡고 함께 걸어 나갔었다면 지금 우리 서로의 모습은 달랐을까. 네 입에서 나왔던 그만하자던 매몰찬 그 말을 듣지 않아도 됐을까. 너는 따박따박 할 말을 풀어냈었고, 내 눈동자는 그 어디에도 머물 자리를 찾지 못하고 애먼 꽃송이를 따라 방황하고 있었다. 너의 말이 끝났을 땐 너의 등이 보였다. 그 무엇보다도 파랗고 너에게 어울렸던 청바지가 점차 작아진다.

악연 ♪

나비는 자신의 몸을 띄우는 봄바람에 몸을 맡겨 호화롭게 날갯짓하며 저 멀리 보이는 아름다운 꽃으로 몸을 옮겼다. 살며시 간질이는 봄 느낌에 꺄르륵 웃음이 나던 나비의 행복에 누군가 여백을 끼얹었다.

거미줄에 걸리고만 것이다.

자신이 어떤 상황에 놓인지도 모른 채 나비는 눈을 깜빡였다. 계속해서 깜빡 깜빡 그리고 몸을 움직여본다. 온몸이 속박 당해있다. 저 꽃이 나를 부르는데 날갯짓조차, 숨을 쉬는 것조차 내 맘대로 되지 않는다.

어둠이 드리우며 꽃이 까맣게 타들어갔다. 정확히 말하자면 시야가 사라진다. 오로지 꽃에만 집중했던 그 눈동자가 위로 향했다. 털이 난 무언가 보인다.

"만나서 반가워, 이것도 인연인데...미안해."

거미야, 이건 인연이 아니라 악연이란 거야.

질문 ☽

네게 한 가지의 질문을 할 수 있는 기회가 생긴다면 너의 시간은 타인보다 더 빠르게 흐르는지 묻고 싶다. 너의 시간은 빠르게 흐르기에 모든 걸 금방 잊을 수 있는 것이냐고, 곧바로 타인의 품 안에 안길 수 있는 것이냐고 묻고 싶다. 나는 아직까지도 알게 모르게 너를 닮게 되어버려서 힘든 시간들을 보내고 있는데 모든 걸 금방 잊어버린 네가 참 부럽다.

딱히 좋아하지도 않고, 하는 시간이 아깝다고 생각했던 게임을 언제부턴가 홀로라도 즐겨하게 되었고, 늦은 새벽까지 함께였던 시간들이 익숙해져 밤낮이 바뀌어 쉽게 잠에 들지 못하는 나.

모든 게 너로 인해 시작된 것들이라 너라는 문장이 끝없이 입에서 맴돈다. 현기증이 날 정도로 화창한 날에 더 이상 너의 이름을 부를 수 없다는 것에 멀미가 났고, 가끔은 지금의 내 모습이 비현실적으로 느껴지는 게 서러웠다. 너는 나에게 마지막 버팀목이며 나라는 생각의 언어였고 결국엔 또 다른 나였다. 혹은 내 모든 걸 바꾸어버린 큰 폭풍이었다.

오늘은 길을 걷다 너와 많은 시간을 함께였던 길을 지나치게 되었는데, 갑자기 찾아온 추억에 발걸음을 잠시 멈추고 그곳을 가만히 쳐다보고 있었다. 그때 뒤에서 들려오는 나의 이름에 나는 깜짝 놀라 뒤를 돌아보았다.

하지만 타인이 나와 이름이 같은 다른 사람을 부르는 것이었다. 나는 혹시 내 뒤를 지나가던 네가 나를 불러준 게 아닐까 하며 기대했던 것일지도 모르겠다. 그리기엔 우리 사이의 거리는 참 멀기만 한데도 말이다.

오늘은 그뿐이었다. 그냥 그런 날

신기루 ☽

너는 나에게 오면 안 되었다.

이토록 쉽게 사라질 신기루였다면 그렇게 아름다워서는 안되었다. 눈이 부시게 빛나던 너를 보고 있자면 내가 서있을 곳이 그늘뿐이라도 좋았다. 투명하게 빛이 나는 것들은 그만큼 쉽게 깨져 버린다는 것을 몰랐기에 이 세계가 무너지고 조용한 적막만이 남을지라도 네 손만큼은 꼭 붙잡고 살아가고 싶었다.

먼저 추락할 것이 나였단 걸 알았어도 나는 널 사랑했겠지?

너는 여전히 내 앞에서 사라질 듯 흐릿하고 손을 뻗으면 희미하게 멀어져만 간다. 우리 짧게 사랑하였지만 오래오래 안녕일 것만 같다. 언젠가 너의 곁으로 가는 날엔 가장 사랑했던 그 웃음을 다시 한번 더 보고 평생을 가슴 깊이 박힌 채 살아가고 싶다.

언제쯤 ♪

아무것도 할 수가 없는 날, 아무 이유 없이 눈이 무거워 자꾸만 눈물을 쏟아내는 날, 숨이 막히는 고통을 새삼 그립게 다시 깨닫게 되는 날, 여전히 검은 물속에 잠겨있다는 걸 알게 되는 날, 그 속에서도 밖에서도 지겹게 난 혼자라는 걸 다시 생각하는 날. 그러니까 당신을 너무 사랑해서 당신을 죽이고만 싶은 날이 오면 나는 가슴이 자꾸만 벅차올라서 그을 수도 없는 손목을 붙들어 갈기갈기 찢어지고 싶은 충동을 억누르고, 숨을 쉬려고 아무 의미 없는 글을 쓰고, 타인의 노래를 부르고 그렇게까지 머리를 쥐어뜯으며 살아낸 하루가 또 싫어서 울어버리고, 그런 하루를 반복하며 살아낸 몸뚱이가 이미 많이 닳아버렸다는 걸 알게 되는 그때는 난 뭘어떻게 해야 하는지. 청춘이란 시퍼런 거짓말들로 포장된 것들을 뜯어내 보면 이미 썩어있는 내 두 눈을 누가이해해 줄까. 모든 것의 끝이 당신이길 바랬던 이 이기적인 마음을 들켜버리면 과연 누가 나를 안아줄 것인지. 알 수가 없는 것들 투성이인 이 세계에서 아무 쓸모없는 인간들과 살아가는 일은 언제쯤 끝낼 수 있을지. 내가 더 버텨낼 수 있을까? 나는 빛나며 죽어갈 수있을까? 어떤 말도, 아무것도 들리지 않아서 모르겠다.
언제쯤 나는 당신을 잊으련지.

지우개 ♪

 사람과 사람이 만나고, 언젠가 그 관계가 끝이 날 때쯤 주변 사람들은 내게 이런 말을 한다.

 '힘들 텐데 우울해하지 말고 잘 정리해봐'

 덕분에 관계를 끝맺을 때쯤 내 머릿속은 한참 동안 복잡하다. 정리를 끝냈다고 생각이 들면 그제야 새로운 일상을 시작한다. 하지만 그 사람이 나에게 조금 더 특별한 존재였다면 그 사람을 내 일상에서 지우기란 쉽지가 않다. 이 사람을 정말 지울 수는 있을까라는 생각까지 든다.

 나는 끝맺음을 중요시하게 여긴다. 특별한 사람일수록 끝맺음에 더 신경 써야 하는 게 맞다고 생각한다. 누군가는 내게 연필로 새겨질 만큼의 존재였고, 누군가는 나에게 볼펜으로 새겨질 만큼의 존재였다. 또 누군가는 나에게 타투 같은 존재였다. 이 사람들을 하나하나 지우기엔 내 마음이 지우개 정도의 능력뿐이라서 소중했었던 사람을 지우려 할수록 계속 번져만 간다. 그래서 난 더욱 번져가기 전에 그대로 두기로 했다. 억지로 지우려고 할수록 내 마음이 찢어지게 될까 봐.

더 이상 지우는 일을 멈춰야 했다. 지우려는 소중했었던 인연을 다른 글자로 덮을 수 있다면 그전까지, 아니 덮을 수 없는 글자라면 또다시 소중한 글자를 새길 수 있도록 작은 한편에 소중히 보관하려고 한다.

이제는 애쓰고 싶지 않아졌다. 더 이상 타투 같았던 누군가를 지우고 싶지 않아졌다. 내 마음의 크기는 크지 않다는 것을 알기에. 혹시나 그 사람만큼 소중한 사람이 생기게 된다면 그때 조금 더 조심히 한 글자씩 새겨보려 한다.

두려움 ☽

한마디를 해도 백번을 생각하는, 몇 시간이고 조곤조곤 들어주는 걸 좋아하는, 의미 없어질 말들은 입 밖으로 내지 않고 화려한 것보단 고요한 정적을 사랑하는, 밤보다 낮이 아름다운 사람을 좋아하는, 드라마에나 나올법한 대사들은 하지 못해도 낯을 가려서 늘 고개를 숙이고 항상 쑥스럽다는 듯 조용히 미소 짓는 사람을, 화가 나면 속으로 삭히고만 있는 바보 같은, 과묵하지만 항상 따뜻한 눈을 가진, 한 사람을 위해 살아줬던 너란 사람을 내가 참 사랑해서 네 옆에 서있을 다른 사람이 너무 부러워져. 너의 낮과 밤도, 기쁜 순간도, 절망의 구렁텅이도, 목소리와 숨 외 모든 것을 함께할 그 사람이 원망스럽기도 해. 내가 평생을 바쳐도 닿아보지 못할 손을 꽉 붙잡고 걸어갈 두 사람이 괜히 미워져.

이런 모자란 나에게도 너 같은 사람이 찾아올까.
그 사람을 외롭지 않게 할 수 있을까.
날 미워하지 않게 할 수 있을까.

다른 누군가를 사랑한다는 게 조금 두려워져.

지하실 ☽

누구나 마음속 지하실에는 아픔이 쌓여 만들어진 회색의 마음이 하나쯤은 있을 것이다. 미움과 질투 그리고 후회와 미련, 여러 감정의 끝에서 묻어 나온 탁한 색의 찌꺼기. 그것들은 그 어떤 애정 어린 관심도 받질 못했고 누가 볼까 숨겨두듯 마음 한 끄트머리에서 뚝 잘라내 지하실에 박아둔 외롭고 사랑에 굶주린 존재다.

아픔을 다독일 수 있는 건 서로 밖에 없었기에 지하실에서 만난 찌꺼기들은 한데 모였다. 단 한 번도 포옹해 본 적 없었기에 더 끈끈하게 서로를 읽었다. 엉겨붙어 끝내 하나가 된 거대한 덩어리는 검은색이 되었다. 새카만 응어리가 되었다.

오늘은 이 외로운 응어리를 주제 삼아 글을 써보려 한다. 오늘은 이 외로운 응어리를 피사체로 두고 그림을 그려보려 한다. 처음부터 까맣지는 않았다. 처음엔 이것들 모두 밝게 빛났으나 미움 받고 사랑받지 못하고 외로워지며 점차 어두워졌을 뿐이다. 그렇기에 오늘은 이 가여운 응어리를 밝은 곳에 꺼내어 놓고 뭉친 눈물이 베어 나올 때마다 다독여주려 한다.

감기 2 ♪

　머리가 울려 어지러운 탓에 눈을 뜨고 있는 것조차 힘든 지독한 열감기인 것 같다. 며칠 전부터 컨디션이 좋지 않았는데 이걸 경고하려 했던 모양이다. '누군가 귀에 대고 분노에 찬 저주를 퍼붓는 게 아닐까? 그렇지 않고서야 이렇게 아플 리가 없는데.' 그런 생각을 하며 약 두 알을 물과 함께 삼켰다. 얼굴이 절로 찌푸려진다. 목구멍이 잔뜩 부어 물 한 모금조차 넘기기 힘들었다. 조금 앉아있으려다 약기운을 기대하기도 전에 침대에 쓰러지듯 누웠다. 몸이 으슬으슬 떨릴 정도로 지독한 열감기. 이것들은 어디서 온 한기일까. 어디서 왔길래 이렇게 차갑고도 시릴까. 멀리서 왔겠지. 아주 멀리서 아니 어쩌면 생각보다 가까운 곳에서 왔을 수도 있겠다. 눈을 깜빡이니 천장이 한 바퀴 돌았다. 두 바퀴 돌았던가. 천장이 한 바퀴를 돌았든, 두 바퀴를 돌았든 너무 아파서 내 머리가 돌았든 별로 상관은 없다. 뭐든 간에 결국 관짝 같은 방에 누워 목까지 이불을 뒤집어쓰고 열 오른 숨만 색색거리고 있다는 사실은 변함없을 테니까.

　'약국에서 약을 살 게 아니라 병원을 갔어야 했는데.'

이 꼴을 하고서 하는 생각이란 고작해야 그 정도였
다. 만약에 열이 날 때 이불을 덮고 있으면 좋지 않다
고 지적해줄 사람이 있었다면 다른 생각을 했을까. 가
령 이렇게 더운데 어떻게 이불을 덮고 있나 하는 시시
콜콜한 농담을 해줄 사람이라든가 아니면

'이럴 때 죽이라도 끓여줄 사람이 있었으면 다행이
었을 텐데.' 따위의 시시한 생각 같은 것.

첫 사랑 ☽

평소 같지 않았던 시원한 여름의 시작 무렵, 푸른색 하늘 아래 여름의 냄새를 맡을 수 있는 때가 찾아오면 너와 함께였던 그 날들의 추억이 내 마음 속 깊은 곳에서 툭하고 떠오른다.

생에 계속 되고 있는 이 절대적인 반사는 내가 너의 SNS 프로필을 몇 번이고 확인하는 이유이고, 다른 여자와 함께 있더라도 이상하게 마음 한 구석이 따끔한 이유이며, 내 친구들에게 몇 번이고 그 때가 제일 행복했었다고 질리도록 얘기하는 이유다.

그 누가 사람은 사람으로 잊어야 한다고 하였는가. 그런 단순한 비약을 만들어낸 사람은 아마 사랑이 그 때 그 사람, 계절의 냄새와 자신의 모든 것이 혼합되어 만들어진 복잡한 신경체라는 걸 모르는 사람이 분명하다.

언제쯤 나는 이 절대적인 반사로부터 벗어날 수 있을까. 언제쯤 무지한 그 사람처럼 모든 걸 지운 채 새로운 사람의 섬유 유연제 냄새에 파묻혀 살 수 있을까. 나는 알고 있다. 내가 파블로프의 개처럼 영원히

구속될 것을. 절대적인 반사가 점점 무뎌질까 두려워
하나씩 꺼내어 긴 생각에 잠긴 내 모습을 생각해보면
이 구속은 영원할 것이 분명하다.

다른 사람을 너를 사랑했던 것만큼 사랑할 수 있을
까. 그 때의 나만큼 행복하면서도 고통스러울 수 있을
까. 그해의 여름 냄새처럼 설레고 향기로운 것이 있을
까.

추억 속의 너와 나.
너무 일찍 만나버린 나의 첫 사랑.

삶의 끝 ⟩

하루는 매일같이 내 꿈에 찾아오는 너를 붙잡았다. 너는 물끄러미 내게 물어온다.

'있잖아, 우리가 한 모든 일들은 사랑이었을까.'

그러게, 사랑이었을까. 모든 게 사랑이라서 미워하며 다투고 울다 지쳐 잠들었던 순간들까지도 버리지 못해서 나는 아직 그 날들의 꿈을 꾸는 걸까.

아니, 나는 두려운 거야. 지금 이 붙잡은 손이, 이 대화가 전부 허상이라는 걸 알면서도 다시는 돌아오지 않을 진심들이 모두 거짓일까 봐. 혹시나 놓지 않으면, 끝까지 붙잡고 있으면 다른 결말을 쓸 수 있지 않을까 하는 비극적인 희망을 품고 떨고 있는 것 뿐이야. 나 혼자 조용히 울고 있을게. 모진 말들을 뱉어 내면서도 아직 잊지 못했다는 걸 누구보다도 더 잘 알고 있으니까. 경멸 속에서도 피어 있는 그 꽃을 그토록 미워하면서도 그 꽃을 건넨 손의 온기를 아직까지는 잊지 못했으니까.

울고 있는 나에게 언제나처럼 새카만 눈동자들이

몰려온다.

 '무엇을 원해?'
 '제발 사라져 줘. 버림받던 기억도, 울먹이던 감정도 모두 가져가 줘. 더 이상 내게 슬픔 한 줌이라도 남기지 말아 줘'

 소리 지르던 내게 네게 마지막으로 두고 간 말은 너무 치사했다.

 '내가 첫 사랑이라니, 말도 안 되는 소리야.'

 나는 그 말에 질식하여 삶을 버렸다.

편지 2 ☽

'나를 기억하나요?' 당신에게 보낼 편지의 시작을 이렇게 써 내려간다. 우리 사이에는 넓은 밤이 고요하게 똬리를 틀고 있음에, 그로 인해 당신과 나는 너무나도 커다란 시간의 벽에 부딪혀 슬퍼함에도 나를 잊어가는 당신을 용서할 수밖에 없을 것이다.

붉은 혈들의 자리에 피어나는 꽃들을 헤치며 다가오던 당신을 나만이 기억하면 그걸로 된 거라고 그렇게 나를 달래온 날들이다. 사라지려 하는 것들을 붙잡으려 할수록 떠나가는 것은 나였다. 나는 그것이 두려워 찾아오는 새벽에 우두커니 앉아 사랑을 적어내는 법을 고민해 보았다. 잠을 떨쳐가며 반복하기를 수십 번. 나는 눈 감는 법을 잊어버려서 울음을 그치지 못했다.

그저 사라지지 못했던 몸뚱이를 원망한다. 세상의 끝에서 당신을 떠올려버린 나를 비난한다. 내딛지 못한 그 한쪽 발에 담겨있던 것들을 떠올린다. 노래하는 당신과 울고 있는 작은 아이와 어둠 속의 위로를 간직한다. 당신과 마주한 순간 멈춰버린 나의 세계와 그럼에도 야속하게 흘러갔던 시간에 올라탄다.

차마 건네지 못한 수많은 진심들이 쌓여있는 방 한 구석을 바라본다. 하늘 너머로 내려다봤던 당신의 도시를 찾아낸다. 같은 행성에 고립된 우리 둘을 마지막으로 끌어안아 보았다. 그 온도가 따뜻해서 그만 아이처럼 울어버렸다.

더 이상 누구도 사랑할 수 없어. 이건 병이야. 작은 아이를 붙잡고 소리친다. 그 누구도 믿어선 안돼, 누구도 사랑하지 마, 구원받지 마, 그냥 뛰어내려버리란 말이야.

작은 아이는 몸을 떨며 울어댄다. 그래, 사실 나도 알아. 남아 있을 것이 아무것도 없던 세계에 그녀가 들어서버리면 너는 떠날 수 없게 되겠지. 세찬 바람 끝에 서 있을 그녀를 떠올리며 참고 걸어갈 힘이 네게 생기겠지. 그렇겠지. 결국 이 비극은 시작되겠지. 그녀를 사랑한 것. 이것만은 명백히 나의 잘못이었다.

붙이지 못할 편지를 쓰는 것에 어떤 의미가 있을까. 갑작스레 찾아온 당신처럼 언젠가 그 의미도 성큼 나에게 다가올 것이라 믿는다. 웃는 당신만 보면 일렁이는

마음을 담아 편지를 적었다. 넘쳐버린 사랑을 닦아내곤
이내 자리를 떠났다.

안타까움 ♪

사람을 사랑하며 배운 것들은 참 모질다. 좋은 것은 영원하지 않아 슬프고, 나쁜 것은 반복되어 후회스러웠다. 좋고 나쁜 일이 아니라 사랑하는 일인데 어째서인지 이분법으로 나뉘고 마는 것 또한 안타까움으로 설명되는 것이 괴로웠다.

괴롭고 슬픈 후회와 미련이 쌓여서 작은 무덤이 되었다. 그 위에 엎어져 울어버리고 조금도 괜찮아지지 않은 것을 다행으로 여겼고, 마음이 아픈 것이 평소와 같아 당연스럽기도 하였다.

몰랐다면 ♪

그대를 몰랐다면, 나에겐 아무 의미 없는 존재가 당신이었다면 그럼 난 더 편해질 수 있었을까.

사랑을 몰랐더라면, 그 작은 눈동자가 이 몸뚱이를 파고들지 않았더라면 난 이 밤을 후회 없이 끝낼 수 있었을까.

당신은 어디서부터 시작되어 나에게로 온 것일까. 나는 당신이 있어서 다가올 내일이 따뜻할 수 있었어요. 그래, 나는 살아있지. 근데요 나는 여전히 목구멍이 시큰거리기만 해요. 다가온 내일은 생각보다 생소했고 왜인지 모를 눈물을 자꾸 흘려요. 당신으로부터 새어 나온 무언가가 내 안에 거대한 구멍을 뚫어두고 간 것 같아요.

이 구멍은 어떻게 해야 메울 수가 있을까요.

차라리 아무것도 몰랐더라면, 사랑을 모르고 그 뒤에 따라올 상실조차 몰랐더라면 그럼 난 조금 덜 아플 수 있었을까요. 나는 또 찾아온 새벽에 눈을 가리고, 당신의 노래가 새어 나오는 내 입을 틀어막고 그렇게 또 잠에 들어야 해요. 당신을 찾아갈 수 없는 날 원망하며 목을 매야 해요. 마주해야 하는 것들을 애써 가라앉히며 오늘도 당신이 연장해준 가느다란 목숨을 잡고 살아가요. 언제쯤 고마움을 전할 수 있을까요. 이 편지를 전할 수 있는 날이 올 거라고 믿을게요.

그때까진 좀 더 많은 것을 외면하며 살아가야겠네요.

겨울나무 ♪

　기나긴 어두운 터널 속을 뚫고 나오자 기다렸다는 듯 창으로 빛이 쏟아지고 눈이 내린 겨울산이 보인다. 이 곳에는 눈이 내린다. 한 송이만큼의 침묵을 끌어안고 깃털처럼 나풀나풀 날아 땅에 내려앉는 한겨울의 눈이 내린다. 시간을 멈출 듯이 고요히 내리는 눈들 사이로 내가 몸을 실은 기차만이 크게 숨소리를 내며 달린다. 각자 다른 곳을 노려보는 눈들을 가득 싣고 머나먼 다음으로 나아간다.

　어둠 속을 달리는 기차 창문에는 네가 비친다. 나를 조용히 노려보며 묻는다. '오늘은 제대로 가고 있어?' 대답을 망설이는 입술에 또 실망하며 고개를 돌리지. '아무도 몰라. 알 수 없는 일들 투성인걸.' 흔들리는 눈동자를 애써 바로잡은 채 또 다른 풍경을 기다린다. 헐벗은 겨울나무들이 자신만큼의 눈을 움켜쥔 채로 버티며 서있는 산을, 눈이 부시게 하얀 겨울산을.

　순백의 물감을 덕지덕지 발라놓은 듯한 겨울의 풍경 그 끝에는 언제나 시커먼 입을 벌린 터널이 있었다. 알고 있지만 기차는 망설임 없이 어둠 속으로 뛰어든다. 그 너머에 있는 또 다른 풍경을 보기 위해, 그리움에 삼켜지지 않으려 빠르게 달린다. 눈물에 젖지 않으려 뛰어든다. 두고 온 것들을, 남겨진 것들을 떠올리지 않으려 귀를 막는다. 소리 없이 아우성치는 속을 달래며 나는 괜찮아, 괜찮아질거라 그렇게 믿으면서.

내가 죽인 나를 땅에 묻으면 겨울나무가 자랄 것이다. 앙상한 나뭇가지를 바람에 휘저으며 버텨 서 있는 나무. 생명을 틔어낼 힘도, 뿌리를 굳게 내릴 힘도 없는 그런 겨울나무. 눈이 쌓인 곳엔 발자국이 깊게 남는다. 누군가 떠난 것을 알리려는 듯이 선명하게 남아 나를 바라보는 발자국.

'나도 알아, 그러니 이제 그만 녹아주지 않을래? 그리고 나도 이만 놓아주면 안되겠니.'

언제까지나 영원한 것 같아 두려운 순백. 너의 발크기에 맞게 움푹 파인 발자국. 자꾸만 흐릿하게 멀어지는 시간들. 애써 눈을 비비며 달린다.

조금 더 선명한 다른 풍경을 찾아내려.

생의 시작 ☽

여름 햇살이 서서히 기울면 밤이 떠오르는 시간이 다가온다. 서툴게 하늘을 물들이던 태양이 제자리에 가라앉고 서늘한 바람이 구름을 몰고 와선 달의 형상을 가린다. 가본 적도 없는 곳들의 풍경이 눈앞에 일렁인다. 꼭 오래전에 당신의 이름을 불러본 것만 같아. 찰랑거리며 빠져나가는 머리칼, 풀숲 사이로 빠져나가는 웃음소리. 모든 게 꿈결인가 싶다가도 그리움이, 닿아본 적도 없는 온기가 그리워 울컥 차오르는 울음이 손틈새로 흘러나온다.

밤을 새워가며 남의 생을 탐독한 날에는 이번 생이 꼭 내 것이 아닌 것 같이 쓸쓸했다. 남의 목숨을 쥐어짜 살아가고 있다는 기분이 들자 참을 수 없이 가슴이 뻐근히 아려왔다. 그런 날은 끝나지 않을 것만 같은 꿈을 꿨다. 울음이 잔뜩 얼룩져 희미해진 밤을 올려다보며 서럽고 눅눅한 꿈에서 쉬이 벗어 나오진 못했다.

누구는 한 생을 달음박질쳐 끝내버린다 그랬다. 자신의 속력을 감당치 못해 와르르 무너지듯 끝으로 안겨든다고 또 누구는 전부 사라질 것들로만 생을 채우고 다른 누군가는 평생 동안 해결하지 못할 것들에 매달려 그렇게 생을 낭비한다 그랬다. 그럼 나는 달려 갈 힘도, 그 무엇도 사랑할 힘도 남지 않았는데 앞으로 어떻게 살아가야 하는가.

숨이 차오를 때마다 풍경은 펼쳐진다. 짙은 밤색 창틀 너머로 온통 푸른 수풀 사이에 맨발로 선 나. 입을 벌려 낸 목소리는 작은 음절조차 되질 못하였고 커다란 파도는 몰아쳐 모든 것을 저편으로 휩쓸고 가버린다. 귓가에서 넘실대는 물소리를 들으며 다시금 떠올린다.

푸른색으로 점철된 흐린 시야 속에서 나는 분명 그 이름을 불러본 적이 있을 거라고 이번 생은 그렇게 시작되었을 거라고.

깊은 죽음 ☽

 너를 알게 되었다는 것은 편안함이 불러온 깊은 죽음이었다. 나는 불완전한 너를 사랑했다. 그 불완전함과 상처들 속에서 나를 느끼고 그로 인해 찾아온 동질감을 즐겼었다. '고립된 것은 나뿐만이 아니구나.' 그렇게 안심하며 두려운 밤에는 너의 목소리에 얼굴을 묻고 잠에 들었다. 작은 너의 목소리가 푹신한 구름인 듯이 나를 감싸 안아서, 내 귀를 막아줘서.

 모처럼의 단 꿈이었다. 그러나 그런 순간들은 오래가지 못했었다. 잦은 트러블과 감정 소모 그리고 믿기 싫었던, 내가 너를 지독하게 사랑하기에 외면해야 했던 것들은 항상 고요하게 나를 노려보고 있었고 보이지 않았던 수많은 어둠 속에서 계속 존재하고 있었다는 것을 나는 몰랐다.

 진작 마주했어야 할 것들을 가려준 벽이 무너진 순간 그 파편에 목숨을 잃은 건 나였다. 수많은 사실들과 나를 울리는 것들. 그 시선 앞에서 무너지는 참으로 미련하고 나약한 나 자신. 손발이 다 뜯어지도록 긁으며 기어오른 곳이 이곳이건만 그간의 나날들이 모두 수포로 돌아가 버리는 건 정말 한 순간이었다. 이젠 너를 보는 것조차 나에겐 죄악이 된 기분이다.

너의 부재로 인해 찾아온 수많은 빈 공간들을 어떻게 채워야 할까. 사랑해선 안 될 사람을 사랑한 대가는 너무나도 커다란 것 같다. 다시 너를 만나기 전처럼 눈앞이 흐려지며 다시 깨닫는다. 나는 여전히 물속에서 살고 있다는 것을. 오랜만에 느끼는 심장의 통증은 나를 비웃고 시커먼 물은 끊임없이 차오르며 내 눈물마저 삼켜버렸다. 너의 목소리로 감싸안던 많은 밤들은 다시 두려운 고요 속으로 바뀌어버리겠지.

이마저도 지쳐 무뎌질 그 순간까지.

너란 소나기 ☽

　죽음을 갈구하던 손아귀를 거둬버리면 가득 찬 갈증들은 어디로 가야 하는가. 가증스러운 하늘에서 네가 내린다. 덮어놓은 울음들에 쌓여가는 원망들이 우산을 쓰기에는 이미 늦은 오후였다.

　나는 침대에 던져 놓은 책의 끝자락을 들춰보았다. 새카만 적막 속에 비릿한 눈동자를 적어내고 싶었다. 세상이 자꾸만 변해가기에 묘사는 늘 방향을 잃고 언젠가 문장들이 눈을 뜰 것만 같았다. 시커먼 밤이 그 단어들을 이끌고 나를 죽이러 오겠지. 마무리 짓지 못한 것들이 마치 내 입가와도 같구나.

　오늘도 말한다. 나는 사람이 두렵다. 숨결이 두려웠고 눈물이 서러웠다. 내리는 비는 견뎌낼 수 없었고 어느새 잠겨버렸다고. 하늘에는 지친 기색도 없이 네가 내린다. 너를 사랑했던 만큼 비가 내리고 있다. 결국 온 세상이 비로 인해 잠겨간다.

　저 물방울들은 어딘가의 끝에서 목숨을 다 하겠지만 나는 어디로 가야 하는가. 숨겨두었던 아가미를 펼치고 숨을 들이쉰다. 네가 나를 적셔온다.

글 쓰는 이유 ☽

'결국 나는 또 홀로 남았다.' 아마 내 인생의 마지막 줄에 적어낼 문장.

사랑받길 기대할수록 내 절망만 깊어진다는 걸 알면서도 나는 계속해서 사랑을 갈망했다. 아무도 없는 깊은 숲 앞에 홀로 서있는 기분이 편안하면서도 무언가 그토록 그리워 결국 이 회색 오피스텔 속으로 돌아왔다.

그 숲의 사계절을 잊지 않으려, 찬란한 푸른빛들과 그 속으로 쏟아지던 햇살들을 잊고 싶지 않아서 무작정 펜을 붙잡고 글을 썼다. 그 건너편에 당신이 서있었다는 걸 알면서도 나는 차마 넓은 숲 속으로 발을 들이지 못했다. 다시는 돌아가지 못할 수많은 길 앞에서 어째서 나는 그토록 겁쟁이였는지. 뱉어내면 아무 가치도 없을 말들을 왜 분노에 차 쏟아냈는지. 사람들이 미워 뛰어 들어간 숲에서 왜 날 안아주던 온기를 기억해 냈는지. 삶의 마지막 순간까지 알지 못할 수많은 순간들이 하나둘씩 쌓이다 보면 언젠가 당신을 만나겠지. 들려줄 이야기들이 이렇게나 많아서 다행이다.

나는 오늘도 글을 쓴다.

지독한 장마 ♪

세상이 온통 그을린 듯이 침침했다. 아침부터 쏟아지던 비가 좀처럼 그칠 기미가 없는 지독한 장마다. 해와 달, 구름조차 잘 보이지 않는 어두운 한낮에 왠지 모든 게 끝나버릴 것만 같은 예감이 머릿속을 헤집어 들어왔다. 비는 검었고 땅은 젖어들다 이내 담지 못할 것들을 뱉어내고 있었다.

나는 애써 떠올리지 않으려 했다. 두고 온 것들, 내가 도망쳐 나온 그 곳을 그리고 거기에 남아 있을 당신을. 초췌한 잎을 드러낸 나무들 사이로 사라진 비명 같은 바람이 불었다. 창문 틈으로 새어 들어온 빗방울들이 제 무게를 견디지 못하고 바닥으로 추락한다. 뱃고동 같은 번개 소리가 저 멀리 희미하게 울려 퍼지고 모든 것이 버거워진 나는 다시 이불을 머리끝까지 끌어 올렸다. 숨이 잘 쉬어지지 않는다.

너무나 쉽게 끊어져 버린 관계가 처음엔 원망스럽다가도 이내 다시금 조용해졌으니 그걸로 되었다고 쉽게 날아가버릴 가벼운 말들로 스스로를 위로했다. 사실 가끔씩은 나를 즈려 밟고 지나간 당신에게 묻고 싶었다.

아직 그 마음 속에 내가 살아있긴 하냐고, 혹시나 죽느니만 못하게 그렇게 아프게 살아가고 있는 건 아니냐고. 혹시 전부 잊었냐고, 가랑비에 쓸려가 버린 수많은 이름들처럼 나도 그렇게 흘러가버렸느냐고.

결국 당신도 나를 원망하게 되느냐고.

저무는 사랑 ☽

우리는 수없이 펼쳐진 가능성을 헤치고 걸어가다 서로를 마주 보며 차게 식어버린 몸을 끌어안았지. 그거면 되었다고, 이제는 괜찮다고 그리 말해줄 걸 그랬어. 이토록 오랜 작별인 줄 알았다면. 당신을 오래도록 앓아왔다고 목구멍이 바싹 타들어가는 새에 떠오른 그 한마디를 당신의 메마른 품에 안겨줄 걸 그랬어.

태양빛이 저물어가는 도로 위에서 소리 내어 부른다. 아직 열기가 식지 않은 아스팔트에 몸을 누이고 오늘따라 하늘이 맑다고, 새가 높이 떠올랐다고. 잘 잘린 종이의 단면처럼 어딘가 서늘한 푸른빛을 당신도 보고 있느냐고. 가당치도 않은 이 안부 인사들을 중얼거리며 여름 한가운데에서 당신을 속으로 삼켜낸다. 차마 귓가에 닿을까 겁이 나는 서툰 사랑들을 베개 밑에 밀어넣으며 무기력한 꿈을 꾸었지.

오늘도 나는 신호를 잃은 전화를 걸고, 아무 말도 전할 수가 없는 수화기를 붙들고 돌아와 주면 안되겠느냐고 나는 심장이 욱신거려 아무것도 할 수 없다고, 목에 걸려 넘어지는 울음들을 잔뜩 토해내도 깊숙이 박혀 있는 당신이 나오지를 않는다고, 뽑히지가 않는다고.

전하지 못할 말들을 꿈속에서 외치고 있다.

새파란 잎들이 눈을 가려대는 꿈을 꾼다. 둥그렇게 나를 둘러싼 초목들 사이로 목소리가 들려온다. 너무 오래 돌아보지는 말라고, 길을 잃기 전에 돌아가라고. 당신이 간 곳에 나를 데려가 달라는 외침들은 허공에 쓴 활자마냥 어딘가로 사라져 버리고 눈을 뜨면 언제나 밤이 가라앉은 방 안에서 나 혼자 눈물을 흘리고 있다. '당신은 내게 돌아올 생각이 없는데' 라고 혼잣말을 하며 팔을 들어 눈물을 가린다. 희뿌연 새벽을 문질러 닦아낸다. 서럽게 우는 대신 당신에게 다시 묻는다. 이제는 아프지 않느냐고, 서럽지 않느냐고. 그거면 되었다고 이제는 괜찮다고 그리 말해주면 안 되겠냐고.

사랑이 저문다. 당신이 나를 두고 간 열대에서 웅크려 맞는 무형의 아침

불편한 질문 ☽

간만에 만나는 사람들이 내게 가지는 의구심은 하나같이 모두 같았었다.

'X랑은 요즘 어때?'

나는 순수한 의문문에 대답하기를 강요당할 때면 거짓말을 못하는 나의 성격에 대해 수십 번 사형 선고를 내리고 싶었다. 사람들이 묻는 그 아인, 내게 가장 소중했던 그 아인 이미 내 곁을 떠난지 오래되었기에.

나는 그 지겹도록 아픈 질문에 요즘은 잘 모르겠다고, 요즘 만날 수도 없고, 요즘 얘기도 못하고 어떤지도 모르겠다고 답했다. 그러곤 그들과 무의미한 대화를 잠깐 이어나간다. 대화가 끝날 때쯤엔 그들은 언제 밥한 번 먹자고 말하고 나는 '그래 밥 한 번 먹자' 무의미한 질의응답을 하고 헤어졌다.

집으로 돌아가는 길. 나는 그들을 원망하면서도 감사했다. 내게 그래도 너는 잘 지내냐고 묻지를 않아줘서. 그랬다면 나는 그들의 눈앞에서 얼굴을 일그러트리며 곧바로 울어버리고 말았을 테니까.

그들이 하나의 점처럼 내게 멀어지고 난 뒤에야 나는 홀로 오열했다. 이럴 때면 늘 네가 내 곁에 있던 그 시간의 기억들이 발작처럼 쏟아져 내리게 된다.

언제나 내가 울면 아무것도 모르면서도 나를 끌어안고 목이 쉴 때까지 울던 네가, 항상 울지 말라는 말 대신 울어도 괜찮다며 내 들썩거리는 등을 온기로 쓸어내리던 네가, 지중해처럼 맑은 눈을 가졌던 네가. 애처롭게 아름답던 그 모든 것들이 말이다.

네가 떠나고 오랜 시간이 지나서야 난 깨닫는다.
네가 없어도 내 눈물이 그쳐지긴 한다는 것을.

어떤 해의 봄 ♪

추억이라 이름 붙은 책 귀퉁이를 서서히 태워가며 봄의 시작에서 나는 너를 묻는다. 불이 붙은 폭죽에서 가느다란 빛이 순식간에 솟아올라 해맑은 하늘을 기다랗게 그으며 웃는다. 별똥별이 역으로 흘러가는 소리가 들린다. 너는 작게 수를 세었다. 하나 둘, 다음 음절이 작은 입술 새로 흘러나오기도 전에 발을 붙이고 있던 땅을 박차고 뛰어내렸다. '쿵' 먼지가 뿌옇게 피어오르다가 상공으로 사라져 버린다. 너는 저 멀리서 웃는다. 그리고 휘어 올라간 입꼬리는 기다랗게 잔상을 남긴다. 그 곡선을 노려보며 눈을 감은 줄만 알았는데 어느새 치켜뜬 시야로 어둠 속의 너를 찾고 있었다. 어지러이 피어난 아지랑이가 초록빛으로 또 어느샌가 노란빛으로 물들여 검은 방을 서서히 잠식해가고 있었다. 생생한 꿈에서 헤어 나올 때에는 다소 섬세하고 예민한 시간이 필요하다. 창 너머는 아직 몸을 일으키기 이른 시간이기에 작게 숨을 내쉬고 이불을 끌어올린다.

간밤에 네 꿈을 꿨어. 너는 잇새의 담배만큼이나 탁한 눈을 휘며 웃는다. '네 꿈속에서 나는 무얼 했어?' 고개를 숙이고 적당한 단어를 골라내려다 이내 포기했다.

'나를 죽였어' 그리 말할 수는 없었다. 네 신호에 맞춰서 내 몸이 산산조각 났다고, 벌겋게 물들어 가고 있는 시야에서 너는 시퍼렇고 조금은 차가웠다고. 대답 없이 골똘해진 이쪽을 보곤 몸을 일으켜 이내 발을 내밀어 걷는다. 네가 떠난 자리에는 몇 개의 담배꽁초와 냄새가 남았다.

어제의 꿈보단 조금 애틋하고 사랑이라기엔 다소 질척이며 얼룩을 남기고야 마는 그 쓸쓸한 냄새가 문득 어제 꿈속의 폭죽이 꽤 아름다웠다고 그리 말하고 싶지만 그리 말하기에는 너는 너무나도 멀리 가있다.

어떤 해의 봄에.

고목, 그 아래 🌙

　더 말라 갈 것도 없는 앙상한 나뭇가지 위로 원망스러운 눈은 두껍게 쌓여만 간다. 가지는 위태로이 흔들리며 갈라져가고 무너져 내린 곳 아래에는 언제나 당신이 서있다.

　턱 끝에 찰랑거리는 수면, 잠에 들지 못해 숨을 참는 밤에도 소리 없는 울음을 그쳐야만 했다. 좌절과 원망이 담긴 눈물을 한참 뱉어내고 그것들을 닦아내는 것 전부 내 몫이었기에 잔잔한 눈물이 바닥으로 스며든다. 닦이지 않는 얼룩이 순식간에 만들어진다. 낮의 거리는 순식간에 내 호흡을 잠식한다. 제멋대로 작가라 이름 붙여 살아가는 사람들, 그들이 뱉어낸 작은 한숨 같은 종이 쪼가리들, 의미 없는 말들을 쏟아내는 입술, 눈이 부시게 타오르는 태양 아래에 텅 빈 허공만 바라보는 눈동자들. 손에 잡힐 듯이 몽글거리는 어둠과 정적이 내는 소리를 듣는다. 주저앉은 나를 비웃는 시선들, 수없이 많은 이들이 내 옆을 스쳐 달려간다.

　거울 앞에서도 떳떳하게 고개를 들 수가 없는 나 자신. 두 무릎을 모아 소리 죽여 숨을 내쉰다.

언제나 나를 불행 속으로 밀어 넣는 인생의 자그만 순간들은 쌓이고 겹쳐져 형상을 띄우고 내 목을 조르며 자그맣게 웃는다. 사라진 사람들, 사라질 사람들과 놓쳐버린 것들, 손에 쥐고 있음에도 손 틈새로 흘러나가는 하루, 그리고 귓가에 흘러오는 자그만 노랫소리.

당신의 목소리 일까?

내가 무심코 흘린 눈물에 당신이 휩쓸릴까봐 무너져 내린 나무의 끝에 당신을 묻었다. 녹아내린 눈의 파편이 슬픈 소매를 적시며 차갑게, 시리게 속으로 파고든다. 잔잔한 겨울비는 조용히 눈 속으로 스미고 호수 위의 물비늘은 안개 속으로 자취를 감춘다. 정적이 내려앉은 밤. 나는 어딘가에 잠들어 있을 당신을 떠올린다.

그 길가에는 고목이 서있다.
이제는 녹아버린 눈을 붙들고 가지 말라며 울고 있다.

사랑은 타이밍 ♪

정리하기 좋아하는 내가 어떻게 표현해야 할지 몰라 서툼이라는 감정을 깊숙한 곳에 어지럽게 펼쳐놓았다.

'무슨 생각을 하고 있는 건데?'

'그래서 하고 싶은 게 뭐고, 무슨 말을 하고 싶은 건데?'

그런 물음에는 그냥 '모르겠어' 이 정도의 말 밖에 나오지 않는다.

이젠 어린 나이도 아닌데 아직 하는 행동과 생각은 청소년 시절에 멈춰있는 것 같다. 생각이란 건 꼬리에 꼬리를 물고 다시 이별의 상처를 불러일으킨다. 솔직히 말하면 내가 생각하기 싫어서 깊숙한 곳에 어지럽혀둔 것들 대부분 먼지에 불과하다. 난 그 먼지들을 털어내고 나면 남을 이별이 두려웠기 때문에 정리하지 않을 것일 수도 있다. '사랑'이라는 단어조차 아직은 어색한 나인데 사랑에 상처 받기가 두렵다는 것이 좀 우습긴 하다. 그렇다고 이제 와서 내가 할 수 있는 것도 없다.

사람들이 많이 쓰는 보편적인 말들은 다 그만한 이유가 있어 사람들 입에서 오르내린다.

  '사랑은 타이밍이다.' 맞는 말이다. 사랑은 타이밍이다. 내가 셀 수도 없을 시간 속에서 수많은 사람들 사이 우연히 서로를 알게 되고 동시에 마음이 맞는다는 건 기적이다. 난 그것만으로 운명이라는 프레임을 씌울 수 있다고 생각한다. 정말 그렇다. 사랑은 타이밍이고 난 타이밍을 놓쳤다. 타이밍을 피했다. 시작하기도 전에 상처 받기 두려워서.

  그러나 지금은 후회하고 있다. 내가 상처 받는 게 두려워서 너에게 상처를 줬다는 걸. 나 또한 이렇게 아픈데 넌 얼마나 아프고 힘들까.

  뒤늦게야 깨닫는다.

  사랑하지 않고 상처 받지 않는 것보다 상처를 받고 아파하더라도 후회 없이 사랑하는 게 낫다는 걸.

상처의 보호구 ☽

　나는 네가 아니면 아무것도 아닌 사람인데 너에게 왜 그리 못되게 굴었을까. 왜 좋은 날들을 기억하지 못하고 서운함을 앞세워 감정적이게 굴었을까. 후회할 거면서 내 결정에 후회 따윈 하지 않겠다며 자신만만하게 네게 마지막을 말했을까.

　눈물을 참다 보면 목 안이 토할 듯이 울컥인다는 것을 처음 알았다.

　이해하다가, 아무렇지 않은 척하다 결국 화를 내며 마지막을 고했다. 결국 좋았던 기억만 떠올린 채 슬퍼하는 나만 남았다. 그렇게 가까웠던 사람, 이젠 그 사람의 전화번호를 누르는 것조차 할 수 없어졌다. 목소리가 듣고 싶고 미안하다고 말하고 싶었다. 하지만 그러기엔 너무 늦었다는 걸 난 알고 있고 진작에 그 말을 하지 않은 내가 후회스럽고 원망스럽다.

　뒤를 돌아보며 걷는 건 앞을 볼 수 없기 때문에 다칠 수도 있다. 이미 지나온 길에서 넘어져 다친 기억을 되새기는 것은 앞으로 가야 할 길에서 또다시 만나게 될 장애물 앞에서 하면 된다.

아픈 상처를 잡고 뒤만 본다고 한들 상처가 없어지진 않는다. 다만 굳은 마음으로 앞을 향해 간다면 그 상처는 앞으로 생길 수 있는 상처의 보호구가 될 수 있지 않을까.

이별하러 가는 길 🌙

이름도 모르는 자의 명복을 빌었다. 이제는 없을 사람의 지나온 생이 고단하고 괴로웠을 것이 서러워 울었다. 최후의 얼굴이, 무엇인가 육체를 떠났을 그 얼굴이 자꾸만 떠올라서 눈을 감았다. 죽지 말아 달라고, 제발 가지 말아 달라고. 무엇도 가진 적이 없는데도 자꾸만 무언가 잃어버린 것처럼 허공을 뒤척이다 잠에 들었다. 손끝에 닿는 것이 없어도, 잡히는 것이 없어도 잠이 들 수 있었던 밤이 아련하다. 어슴푸레 달이 솟은 하늘 위로 비가 내린다. 창문을 닫아줄 사람은 이제 곁에 없으니 오늘 밤은 침묵 위로 빗방울이 내려와 앉겠구나. 이미 이 수조 속은 가득 차올라 풍경이 흐릿한데도 비는 그칠 줄 모르고 내린다. 예정되었던 무너짐이 발끝부터 서서히 나를 무너트린다. 당신이 하나 둘, 다시 하나 둘 그리고 다시 하나. 어느새 눈앞에 다가왔다가, 다시 저 멀리 밀려가 버린다.

평생을 바다에서 살고 싶었다. 그 시퍼런 물속을 헤엄치다 아가미를 감싸는 공기방울들에 뒤엉켜 익사하고 싶었다. 가치 없는 것들을, 아무 쓸모없는 문장들을 파도에 흘려보내도 아무 투정 없이 묵묵히 삼켜주는 그 바다가 좋아서, 하얗게 식어버린 발가락들 사이로 밀려 들어오는 모래들이 좋아서 가끔은 차라리 네가 바다였으면 했다. 언젠가 네가 나를 삼켜버리길 바랐다. 할 수만 있다면, 그럴 수만 있다면 너를 부둥켜안고 함께 살아가고 싶었다. 미지근한 파도 위로 쏟아져 내린 태양이 산산이 부서져 빛난다. 봄은 감탄도 없이 어느새 시들고 발치에 뒹굴던 미역은 메말라 부서져 가며 그래도 뭐가 그리도 좋은지 웃고 있는 네가 그때는 참 밉지 않았는데. 그때는 우리 사이가 아직 썩어가지는 않았었는데.

숨이 가쁘다. 나는 어쩔 도리 없이 생의 마지막 순간 다시 너에게 달음박질쳐 간다. 너와 함께 다시 살아갈 수만 있다면 이 청춘을 너에게 주고 싶었다. 가슴을 좀 먹고 흐트러지게 피어난 이 한 송이 꽃이, 무너진 이 세상이, 베어 물은 자국이 시커멓게 썩어가는 이 과일까지도 전부 네 것이었으면 했다. 돌아갈 채비를 하는 파도를 붙들고 마지막으로 전한다. 이대로 다시 돌아오지 않아도 좋으니, 볼 수 없어도 좋으니 너는 부디 거기서 행복해라. 이대로 여름이 지나 가을이 오고, 겨울을 지나 다시 꽃이 피는 봄이 오더라도 너는 한결같이 거기서 따뜻하기만 하고 사랑받기만 해라고.

파도가 가져간 것들은 영원히 돌아오지 않는다. 오늘 나에게 남은 마지막 생을 보냈다. 답신 하나 오지 않는 외로운 등대에 자처해 올라간 셈이다. 그래도 괜찮을 것만 같았다. 그날따라 하얗게 거품이 일어난 파도가 왠지 시리게 웃고 있는 것만 같아서. 그게 서글퍼서 뒤돌아보지 않아도 될 것 같았다. 내가 유일하게 너에게 해줄 수 없는 일. 너를 만나 안아 주는 것은 이제 바다의 몫이다. 바람이 차갑다. 끝까지 흘러가지 못한 노래가 이어폰 끝에서 맴돌았다. 꿈에서 숲을 닮은 조개를 하나 줍고 나는 서툴게 웃었다.

벌겋게 달아오른 눈가를 비비며 젖어든 바지 소매를 삐뚤빼뚤 걷어 올리니 하늘에 떠가는 구름이 어느새 붉게 물들고 있었다. 모든 것이 완벽한 여름날 저녁이었다.

눈을 뜨고 나는 언제나 그랬듯이 울었다. 이번만큼은 쉽게 그칠 수가 없었다. 밤은 깊고, 비는 여전히 고요한 거리를 적신다. 네가 남겨둔 발자국이 서서히 지워지고 있었다.

네가 전해준 우울))

내게도 살아가야 할 이유가 생겼다.

우습게도 네가 만들어준 이유. 널 적어내야 하니까.
거짓으로 감춰두었던 너의 수조 속을 들여다본 사람은
나뿐이고, 나는 누구보다 치열하게 발버둥 치던 너를
보았으니까. 우리만이 서로의 죄악을 알았고 도망치려
하는 스스로를 안아본 적 있으니까.

그러니 나만이 할 수 있는 일을 하려 한다. 그토록
기억되길 원했던 네 소망은 내가 짊어지고 갈 것이다.
그것들이 내게 절망이 되더라도, 결국 너와 같이 가라
앉게 되더라도. 누군가 내게 왜냐고 물으면 그야 내가
널 사랑했기 때문이라고 말할 수밖에 없다.

바보같이 네가 떠나고 나서야 사랑이라는 걸 알았다.
그제야 눈물이 흘렀다. 좀처럼 그칠 수가 없었다. 모든
것의 경계가 흐릿해져 그냥 사라져 버렸으면 했다.

네가 전해준 우울은 잘 받았다.
마지막 선물이라기엔 너무 아팠다. 안녕

너를 만남으로써 ☽

　가끔은 혼자라는 것이 좋았다. 내가 만나고 싶은 사람이 있을 때면 그 사람을 자유롭게 찾아 만날 수 있고, 술이 잔뜩 올라 길을 한참 헤매고 들어와 기절하듯 잠에 들어도 괜찮은, 내 맘대로 지낼 수 있는 날들이 좋았다. 내가 나를 위해 시간과 돈 그리고 정신을 쏟을 수 있다는 자유와 해방감이 그 어떤 것보다도 소중하고 좋았다.

　다만, 그런 생각이 든 것은 너를 만나기 전까지였다. 너를 만남으로써 사랑하는 이의 웃는 모습을 보는 것이 좋았고, 걱정하게 만드는 것이 싫었고, 울게 만드는 것들에 화가 났다. 네가 서운함을 느끼는 것은 곧 나의 귀책이었으며 너의 미소는 내 삶의 활력소이자 내일을 살게 하는 원동력이었다. 그렇게 나는 헌신과 베풂의 기쁨을 알았고 사랑을 위해 마지막 자존심까지 버리는 법을 배웠다. 그렇게 나는 온 마음을 다해 사랑하는 법을 배웠고 이기적인 자기애에게 작별을 고했다.

　그렇기에 이별 했음에도 나는 그대를 사랑하는 마음에 매일 그대를 그리워하는 것으로 모자라 작은 집 한 채 지어놓고 매일 밤 불을 밝혀 그대가 알아볼 수 있기를 기다리는 것 같습니다. 그저 두 세시간이면 되는 이 얼마 안 되는 거리에 있던 그대는 매일같이 마음으로 밝힌 이 불빛을 느꼈을 테죠. 이미 내 곁을 떠난 그대가 참 많이 그리울 겁니다. 그대가 살았던 작은 흔적이 벽지에 난 작은 흠집으로, 침대 다리에 눌린 장판 자국으로 남겠지만 잘 참아내야겠죠.

어느 순간엔가 분명히 다른 사람의 흔적으로 덧씌워지고 그대가 잊혀갈지도 모릅니다. 하지만 나의 공간에, 나만의 우주인 이 공간에 그대가 있었던 그 흔적만큼은 그 누구도 지울 수 없을 것이라고 확신할 수 있어요. 그대가 누웠던 자리, 입술이 닿았던 찻잔, 손길이 닿았던 소파 그리고 이 뜨거운 마음까지.

여름 그 한가운데 ♪

어두운 골목길에 울리는 발소리가 당신과 나 두 사람의 것이었으면 좋겠어. 희미한 가로등 불 아래에서 세상의 마지막을 약속할 수 있으면 좋겠어. 허름한 판잣집과 희미한 여름날의 울렁임과 잔잔한 매미소리와 아늑한 골목길 그 사이를 홀로 걸으며 나는 몇 번이고 아쉬움에 돌아보았지만 언제나 같은 풍경만이 나를 반겨주었고 마지막 골목을 돌아가기 전 나는 또 숫자를 세며 돌아보면 당신이 있기를, 멋쩍게 나를 향해 웃어주기를 얼마나 바랬는지 몰라. 괜히 늦춰보는 걸음도, 빠르게 가는 시간도 돌아보지 않을 거라고, 실망하지 않을 거라고 그럼에도 어느새 돌아간 고개가 원망스럽기만 하지.

나는 바삐 움직이는 눈동자를 힘없이 떨구고 익숙한 어둠 속으로 기어들어가길 반복했다. 이 끈적한 열대야 속에서 당신은 한가닥 바람이고, 사라져 가는 가로등 불빛이 나에겐 밤하늘 별이었다. 유난히 외로운 밤에 나를 쫓아와준다면 나는 당신에게 내 모든 우주를 선물해줄 수 있었는데.

집에 돌아가는 길은 쓸쓸한 외로움이었지만 나에게 당신은 항상 우리가 처음 마주했던 여름 그 한가운데였다.

순간과 영원의 간극 ☽

순간과 영원

그 간극은 안드로메다보다 멀 줄 알았다.

사랑에서 이별까지 ☽

　언제였는지 기억도 나지 않는 그 날, 나는 폐 한 구석이 간질간질해져 오는 것을 느끼며 처음으로 너에게 말했었지. '사랑해' 아무런 맥락도 잡히지 않을 정도로 오랫동안 내 입술에서 터져 나올 일이 없지 않을까 했던 그 말이었다. 그 말을 듣고 숨을 두세 번 정도 내쉬었던가. 너는 찰랑이는 머리카락 사이로 얼굴을 숨겼고 눈이 보이지 않도록 수줍은 미소를 지었던 것 같다. 그 모습이 어찌나 귀엽던지 오랜 시간이 지난 지금까지도 잊혀지지 않는다. 뒤는 침묵으로 우리가 있는 공간을 가득 채웠었지. 나는 애써 호탕하게 웃으며 그 어색한 침묵의 시간을 깨뜨리려 했고 그 뒤로도 몇 번이던가 아니, 몇 십번 몇 백번 정도 '사랑해' 라는 말을 더 했었고 그럴 때마다 너의 반응은 크게 다르지 않았다.

　셀 수 없는 오랜 시간이 지났다. 나는 한마디를 뱉는다. '사랑해' 그 뒤에 이어질 너의 반응은 그간 보아온 그대로였지만 그 순간마다 느끼게 되는 나의 감정은 새로웠다. 그런 감정을 느끼며 또다시 셀 수 없는 오랜 시간이 지났고 오랜 기간 달려온 길을 문득 뒤돌아보았을 때 너는 네 곁에 존재하지 않았다.

온통 어지러이 새겨진 나의 자취 너머에는 어떤 추억이 새겨져 있을까. 곰곰이 되새겨본 기억 끝자락에는 너와 함께 했던 시절만이 남아 있었고, 다시는 보지 못할 너의 수줍은 미소와 미소를 바라보았을 때 느꼈던 감정만이 피어오른다. 그 뒤는 온통 흰색 도화지와 같았다.

사랑에서 이별까지

사랑을 끝내는 이유 ☽

어째서 사랑은 마음보다 먼저 끝나는 것일까.

말은 언제나 마음보다 먼저 입 밖으로 나가서 결말을 짓게 한다.

언제부터 우린 사랑을 시작하고 끝을 맺었을까.

아마도 사랑이 시작된지도 모르다가 언젠가부터 '내가 이 사람을 좋아했었구나' 하고 나도 모르게 자각했을 때부터 였을 것이다. 그 때부터 우린 좋아하는 그 사람에게 모든 신경이 쏠리게 되고 어리숙하지만 힘든 사랑을 시작하게 되는 것일테다. 하지만 그 사람을 사랑하면 할수록 깨닫게 된다. 차라리 사랑을 하지 않으면 좋았을 것이라고, 아예 시작을 하지 않았으면 좋았을 것이라고.

사랑을 시작하는 것과 사랑을 끝내는 것엔 엄청난 차이가 있다. 사랑을 시작할 때는 사랑을 시작했는지도 모른 채 흘러가는 대로 사랑을 할 것이다. 하지만 사랑이 끝났을 때는 무언가 마음 한 쪽이 허전하고 그것으로 인해 당분간 아무것도 할 수 없게 되며 한동안은 아플 것이다.

우리가 사랑을 끝내는 이유.

그것은 처음 사랑을 시작할 때와 사뭇 다른 자신과 사랑을 하면 할수록 미래에 대한 생각을 하게 되고 머리가 복잡해지기 때문이다. '더 만나봤자 상처야.' '이 사람은 발전이 없구나' 같은 생각들로. 하지만 그럼에도 불구하고 사랑을 계속할 것이다. 어리석게도.

지워지지 않는 마음 ☽

그날 밤, 하늘을 가로질러 간 유성 하나가 손목에 움푹 파인 흉터를 하나 남기고 떠나갔다. 쓰라린 것도 모른 채 나는 가만히 상처를 들여다보고만 있었다. 너도 많이 아팠겠구나. 세상에 부딪혀가며 흉터 자국을 키워가며 도달한 곳은 결국 이 곳이었나 보구나. 차라리 아무것도 모르고 떨어지기만 하는 삶이 더 편안했을 것이라 동정하며 쓸쓸히 손목에 붕대를 감았다. 그래도 너는 죽기 전에 가장 빛이 났구나, 저 시커먼 하늘에 너를 한 획 크게 그어두고 산산이 부서졌구나. 너는 마지막 순간에 무엇을 떠올렸을까. 온몸이 타오르며 사라지던 그 순간에 마지막까지 소중히 여긴 것은 어느 때의 기억이었을까.

아니, 이제 와서 아무런 의미도 없는 것들을 난 왜 고민하고 있는 걸까. 그래, 의미 없는 짓들이다, 가치 없는 것들이다. 네가 떠난 세상은 그런 것들로 가득 차 있다. 네가 한 줌의 재가 되던 순간까지도 세상은 참 생경했고 유독 우리에게만 고달팠다. 촌스럽게도 늘 뜨거웠던 네가 살아가기엔 너무 차갑고 딱딱한 곳이었다. 너는 그 단단함에 몸을 부딪혀가며 살아가다 그렇게 부서진 것이다. 나는 밤하늘을 그으며 떨어지는 너를

208

보는 순간에 나의 최후를 떠올렸다. 나도 언젠가는 부서져버리겠지. 나도 사라지기 전에는 밝게 빛날 수 있을까. 너를 보고 싶은 마음을 담아 길게 그었던 흉터가 사라져 갈 때쯤엔 나도 너를 잊게 될까.

내 세계에서 숨 쉴 수 있는 사람은 너뿐이었는데. 우리 조금은 덜 힘들게 살아볼 수 있었을 텐데.

네가 선택한 길을 새삼 미워했다.

세상은 바뀌지 않았어. 여전히 어둡고 나는 아직 수조 속이야. 나는 하루를 살아보려고 끊임없이 글들을 적어내고만 있어. 어떤 것 같아? 어제는 문득 눈물이 흘렀어. 아무 이유도 없었는데 말이야. 그냥 울었어. 하늘은 여전히 검은색인데 네가 지나간 자리만 아직 선명하게 남아있더라고. 내 손목을 보고 다시 새삼 떠올렸어. 나 정말 널 좋아했었구나 하고. 내 작은 별이 떨어진 곳엔 어떤 꽃이 폈을까. 너를 닮아 따뜻한 색을 머금고 있겠지. 다른 모든 것이 사라져 가는 순간에도 네가 이 행성에 있었다는 것, 그것만큼은 잊고 싶지 않았다.

듣지 말았어야 할 말))

웃기게도 나는 펜을 들고 이렇게 써 내려간다.

'내가 너를 사랑했었다.'

유치하고 낯부끄러운 표현들이 너와 나를, 서로의 눈에 담긴 노골적인 사랑들에 낯을 붉혔던 너무 일찍 자라 버린 두 아이가 숨을 멈춘 세계에서 내 품에 기대숨 쉬는 너를 참 좋아했었다. 내가 일으켜 세웠다고 생각한 너의 세계가 이미 오래전 무너져 내린 잔해들 인지도 모르고 나는 너의 슬픔들을 사랑했었다. 너의 우울이 우리의 절망이 되고, 우리의 절망이 나만의 고독이 되고, 그 고독이 나에게 죽음을 불러오는 순간. 그 순간까지도 나는 널 믿고 있었다.

아직 정하지 못한 우리의 마지막을 어떻게 마무리해야 좋을까. 마침내 나의 세계마저 무너져 내리고 우리를 구성한 모든 것들이 죽어버렸음에도 너는 시리도록 푸르른 나만의 봄으로 그렇게 남아있다고. 아직 너의 온기가 남아 있는 내 품이 너무나 미운데도 네가 잠시나마 쓸어준 내 머릿속엔 이상하게도 아직 너의 웃는 모습이 남아있다.

나는 그게 그토록 서러워서 요즘도 자주 울고 후회를 한다.

'사랑한다.'

그 말만은 듣지 말았어야 했다.

사랑할수록 옅어지는 삶 🌙

　흘러가는 것 위로 함께 흐를 수 있다는 듯이, 손짓만으로 궤도를 바꿀 수 있다는 듯이 우리는 계속 그렇게 살자. 그을린 손가락을 언제까지고 붙잡을 수 있다는 듯 부스러진 그대의 편린은 애써 못 본 채 하고서 땅의 경계를 손가락으로 가볍게 짚어줘. 그럼 그때부터 그 안이 내 세상이야. 떠나지 않을게, 나가지 않을게. 남은 건 죄다 긁어서 당신 손에 쥐어줄게. 그렇게 같이 살자 이 다음에도 그 다음에도

　바싹 마른 죽은 나무속이 우리가 살아온 집이야. 누구도 모르는 곳에서 태어난 우린 아무도 없는 저편으로 떠내려가는 거야. 손을 꼭 붙들고 있어줄게, 거칠게 쏟아지는 비를 함께 견뎌낼게, 차가운 내 손이 마음에 들지 않는다면 대신 그 아래에 흐르는 온도를 줄게. 그 속에 품은 심장도, 그 위를 덮은 표피도 모두 당신 거야. 내게 아까울 것은 하나도 없어. 끝을, 오로지 그 끝만 바라보고서 여기까지 살아온 거야. 내 종말은 당신이야.

　먼 예전에 그렇게 정했어. 기억도 나지 않는 과거부터 당신을 사랑했어.

있잖아 기억해? 당신이 나한테 그랬잖아 어떻게든 살아가라고. 죽지 못해 산대도 끝까지 버텨보자고, 보란 듯이 살아남아 보자고. 사실은 알아. 당신 안에는 내가 없어진지 오래 되었다는걸, 거짓된 온도 속에서 헤매고 있다는 걸.

뿌옇게 낀 안개 속을 걷다 보면 기다렸다는 듯 발치에 차오르는 시커먼 물들이 삶이란 건 사실 죄다 부질없는 거란 말이, 모두들 익숙한 듯 과거에 얽매여 산다는 말이 귓가에 찬찬히 밀려들어오며 나를 울게 만들어. 꼭 그 속에서는 당신을 찾을 수 있다는 듯이 허망하게 뻗은 손끝에는 외롭게 시린 공기만 머무르고, 그런 날이 올 때면 생경한 당신의 이름 세 글자가 붙은 행성을 갈망하게 돼. 고개를 들어 눈에 담은 당신은 눈부시게 빛나서 절대로 닿지 못할 은하계 같아.

그래서 나는 크게 허리를 숙인 늙은 나무처럼 고개를 박고 울고 있는 거야.

당신이 내 유일한 구원이라는 게 참을 수 없이 가슴에 아려오다가도 가끔씩은 당신 품에서 끝도 없는 내 죄목들을 읊으며 영원히 용서받지 못한대도 괜찮을 것 같다고 매몰차게 뜯어내지 못하고 잠식되는 겨울나무처럼 모든 것을 다 감당하겠다고 그러니 빼앗지 말아 달라고 어딘가의 누군가에게 그렇게 빌어가면서.

정체되어 있다는 건 죽어있다는 것과 마찬가지야. 당신을 사랑해야만 한다면 사랑하는 수밖에. 손아귀를 아무리 비틀어봐도 새어나가는 모래들을 보며 나는 태연한 척도 해보고 체념한 척도 하다가 결국은 다시 당신의 경계 속을 걷는 거야. 바람결이 실어다 준 온도를 온몸으로 느끼며 인생엔 정답이 없다는 게 때로는 다행이라고 생각하며.

214

울지 말고 믿지마, 속지마 ♪

울지마, 네가 운다고 그 사람이 행복해지진 않아. 인연은 결국 언젠가 떠밀려 가버릴 테니 함부로 사랑을 믿지마. 빠르게 식어갈 온도와 감정에 속지마. 더 자라지 못할 그 사람은 시퍼런 독약을 삼키고 별이 흐트러지게 핀 밤하늘에 잠시 살다가 곧 다시 네게 돌아올거야. 조금씩 밤에게 삼켜지는 달처럼, 그로인해 휘어지게 깎여 나간 검은 그림자처럼 너를 품고 평생을 살아갈걸? 그러니 너는 그 사람을 이렇게 기억해줘. 먼지 낀 풍경 너머에 불타는 들판으로, 태풍이 몰아치기 전의 고요한 바다로, 끝까지 흘러가지 못하는 음악으로.

고장난 테이프처럼 반복되는 비명소리를 들으며 그 인연이 자꾸만 어쩔 수 없는 채로 눈을 감지만 오늘도 똑같은 꿈을 꿀 것을 알고 있잖아. 너는 자꾸만 바다로 가려는 그 사람을 붙잡는 꿈을, 그 사람은 물 속을 헤엄치는 꿈을. 숨방울 하나 내뱉지 못하는 차가운 몸이 되는 그런 꿈.

'그만 놓아줘.'

아니, 조금도 괜찮지 않아 ♪

이제는 행복하다 그랬으니 그걸로 됐다.

가엾은 내 갈망은 빈집에 잠가두고 나는 물끄러미 살이 튼 손등을 바라본다. 송글하게 맺혀있는 핏방울들이 그랬다. '쓰라려요. 깊은 살을 뚫고 자꾸만 마음이 솟아올라요' '많이 아팠구나' 마지막으로 뱉은 말이라는 게 겨우 그거였다.

나더러 울지 말라 그랬다. 하지 말란 것은 더 벅차올라서 언젠가는 흉터로 남게 될 것임을 모르고 당신은 나를 사랑하지 않는다 그랬다. 문을 걸어 잠근다. 습관적으로 손톱을 거칠게 뜯는다. 삐뚤삐뚤하게 남은 정들은 정리가 되질 않고 다시는 제 발로 나가지 않으리라 기약했던 날들은 저 멀리에 도사리고 있다. 나는 태연한 척도 해봤다가, 고개를 떨어트려도 보았다가 손가락 틈으로 구겨지는 종이 끝을 보고서야 짓이겨진 마음을 욕조 속에 받아두었다.

가득 차오른 물을 피해 헤엄치는 물고기. 세상은 이런 게 아니라는 걸 아무도 알려주지 않으니 이토록 숨이 차도록 들이마신다고 해서 우리가 바다가 될 수 없다는 걸 몰랐지.

내 사랑아, 그걸 아니? 너도 언젠가는 흘러 내려가 버릴거야. 저 아래 깊이 흐르는 오물이 되어 나를 덮어 버릴거야.

'사랑해.'

나는 잔뜩 받아둔 당신의 생각 속으로 잠수한다. 외치는 마음들은 물속으로 흩어진다. 나의 집은 여전히 고요하고 아무도 잠겨가는 나를 깨우러 오지도 않는다.

나는 애써 몸을 웅크리고 아무것도 내게서 빠져나가지 못하게 붙들어보려 하지만 죄다 소용없는 일이라는 걸 누구보다도 잘 알고 있었다. 식탁 위에 펼쳐둔 시집에서 활자들이 녹아내렸다. 활자들이 녹아 새겨진 짙은 얼룩이 당신 이름처럼 고요하고 그 끝에 불을 떨어트리고 다시는 안 볼 것처럼 뒤돌아 버렸다. 수신인이 없는 편지가 끝에서부터 잘만 타들어갔다.

나한테는 당신이 그랬다. 끝도 없는 여름의 새벽녘이었고 까맣게 타오르는 석양이 끝없이 반복되는 네버랜드였다. 당신을 붙잡을 수 없다는 걸 알지만 나는 먼지를 잔뜩 뒤집어 쓴 서랍장을 열어 낙엽을 엮어 만든 화관을 꺼내어 쓴다. 내 몸 속의 마지막 피 한 방울이 검은 입을 따라 흘러간다. 이렇게나 메말라가도 나는 부서져 버리지 않는구나. 붉게 물든 잎이 원망스러웠다.

내 친구가 그러더라. 내가 사랑 때문에 불행해질 거라고. 나는 그 말을 철석같이 믿어서 그래서 더 무서운가봐. 내 사랑이 누군가를 불행하게 만들까봐, 당신이 나를 미워하게 될까봐. 친구야, 내 마음은 내 속에 없는 것 같아. 누군지도 모를 사람들의 손에서 세차게 곤두박질치고 있나봐. 제 주제도 모르고 바보같이.

'난 괜찮은 거지?'로 시작되는 문장의 밑에 빨갛게 줄을 긋고 이렇게 쓴다. '아니, 조금도 괜찮지 않아.'

사랑할 자격이 있긴 하니? ☽

아주 오랜만에 제대로 된 우울과 재회를 했다. 아주 무너지고 바스러질 줄 알았던 스스로가 생각보다 금세 그 무게감을 견뎌내고 일어서 있는 모습이 너무도 우스웠음에 어울리지도 않는 호탕한 웃음이 터져 나왔다. 그저 아주 고질적이고 본질적인 질문, 매일같이 내가 스스로에게 던지는 질문.

'네가 누군가를 사랑할 자격이 있니? 아니, 그 이전에 사랑을 논할 자격이 있니?

나는 아직 뭣도 모르는 어린아이고 내 우울은 항상 어른인 척하는 나를 다꿰뚫어 본 것처럼 가시가 될 말들을 가슴에 하나씩 박고 사라진다. 아물었던 상처가 다시 터지고 생소했던 아픔이 익숙해지고 곯아버린 상처에서 더는 아무런 감각이 느껴지지 않을 즈음, 사랑이라 부를만한 것과 재회를 했다.

아, 이제는 벗어나겠구나 싶었다. 더 이상 우울에 시달리지 않아도 괜찮구나 싶었다. 그러나 신이 내 생각을 읽은 듯 사랑을 하면 할수록 우울의 색은 더 짙어졌어만 가는 것만 같다.

모두의 첫 사랑은 아픈 것 ♪

'이제 나는 어느 곳으로도 돌아갈 순 없구나.'

문득 그걸 깨달았다. 재작년 이맘때의 내가 숨죽여 울던 부엌 한구석에 서서 창문 너머를 바라본다. 같은 발자국 위에 서있어도 그때와 같을 수는 없다는 걸 마음 한구석은 이미 알고 있었지만 나는 그때의 나를 오래오래 다독인다. 내가 나를 재우던 수많은 말들처럼. 한여름을 달려가는 삶 속에서 너만은 그렇게 살지 말라고.

모두의 첫 사랑은 아픈 거라 누가 그랬다.

그럼 나는 괜히 듣지도 않을 누군가에게 따져 묻고 싶어지는 것이다. 홀로 아파온 것이 아님은 알겠다고. 다만 그런 거라면, 우리 모두 응어리를 안고 이 길을 거쳐 가야만 하는 거라면 서로 인사 정도는 나눌 수 있게 해 주지 그랬냐고, 적어도 이 생경할 만치 넓은 세상에 홀로 외로운 사람은 없게 하지 그랬냐 라고. 이미 식어 버린 머그컵을 들고 한참 전에 불이 꺼진 새벽을 바라보고 있었다. 끝까지 흘러가지 못한 노래 끝자락은 애처롭게 높아지는 음계들을 달음박질쳐 내려간다.

올해 여름에는 해변가를 찾는 사람이 많지 않았으면 좋겠다. 그럼 떠나가는 당신 발자국이 아주 잠깐이라도 남아 있을 텐데.

그 위에 내 초라한 발을 겹쳐 보아도 그대와 같을 순 없다는 걸 알지만 사랑이라는 그대의 이름을 자그맣게 불러본다. 당신과 함께 살아가기 위해선 당신을 사랑하지 않아야 한다. 당신이 누군지도 알지 못하던 때로 돌아가야만 한다. 그래야만 넓은 하늘 아래 함께 살아갈 수 있다.

아무렇게나 흘러나오는 영화의 불빛에선 눅눅하고 비릿한 눈물 맛이 났다. 여주인공은 자꾸만 노래를 부르며 울고 있다.

이내 나도 새벽 속으로 기어들어가 조금은 흐느꼈다.

여전히 그해, 그날, 그 순간 ♪

그해에는 유독 길에서 피어난 꽃들이 쉽게 목숨을 잃었고 여름에 부는 바람이 유난히 매서웠다. 창문을 두드리듯 휘몰아치는 빗소리에 몸을 한껏 움츠리고 떨던 그때의 나에게 다가온 동아줄이라곤 너뿐이었다. 잠시 떨어져 새카만 발밑을 지켜볼 시간 따윈 없었다. 내가 할 수 있는 일이라곤 너에게 애절하게 매달려 목놓아 우는 일뿐이었고 불행히도 그런 너는 내 안에 섞여 있었다. 아주 뿌리 깊숙한 곳까지 새까맣게.

결국 우리 둘은 각자 무언가 잃어야만 했다. 너는 희미하게 이어져 있던 하얀 목숨을 잃었고 나는 다가올 모든 계절들을 잃었다. 검은 창에는 줄곧 비가 내리고 있다. 시간이 더 이상 흐르지 않았다. 그해의 나는 너의 줄이 끊어진 것이 내심 기뻤다. 줄이 끊어진다면 네가 내려와 내 곁에 두 발로 서줄 것이라 믿었다. 흔한 다른 인연들처럼 살아갈 것이라 믿었다. 나는 네가 끊어지고 나서야 알았다. 우리들은 인연이라는, 사랑하는 사람이라는 그 흔하디 흔한 싸구려 이름마저 붙일 수 없는 사이였다는 것을.

네가 한 마지막 말을 기억한다.

222

'고마웠어'

그토록 미워하던 시커먼 눈을 마주하며 너는 웃고 있었다. 나는 차마 이별할 수가 없었다. 네가 없는 내 세상이 계속 돌아갈지는 누구도 알 수 없는 일이었기에 네 목에 감겨 있던 하얀 줄을 너와 함께 태웠다. 너를 기억할 수 있을만한 것들은 전부 불 속으로 던져버렸다. 그런데도 잊지 못하는 이유는 아마 내가 아직 재가 되지 않았기 때문이겠지. 몇 번을 망설였다.

내딛지 못한 숱한 걸음들엔 전부 네가 매달려 있었다. 내가 잠시 뱉는 숨결에도 맺히곤 했던 너는 나를 살아가게 했다. 너는 이미 내 곁에서 사라졌음에도 계속해서 사라질 것만 같았다. 매일 네가 죽는 꿈을 꾸었다. 고개를 돌리고 싶지 않았다. 실감하기가 버거워 그냥 눈을 감고 살아가기로 했다.

시간이 흐르지 않는다. 여전히 그해, 그날, 그 순간이다. 계속해서 비가 내린다. 창문을 다 덮어버릴 만큼의 눈물도 내렸다.

우리의 추억은 어찌 되어가는가 ♪

 너는 나를 스쳐 지나가는 순간에 어떤 심정으로 나를 바라보았는지. 아니, 나를 바라보긴 했었는지. 나에겐 너와 함께한 시간 모두가 망설임과 어리숙함들 뿐이었는데 너는 어찌 그렇게 쉽게 이런 나를 지나쳐 갈 수 있는지. 서운함과 아쉬움으로 범벅이 되어 너의 뒷모습을 좇던 내 눈길을 넌 느끼긴 했는지.

 스쳐 지나가던 그때의 순간 우리가 완벽한 타인이 되어버린 것에 나는 또다시 무너지고 찰나의 너를 잡아 묻고 싶었다. 내가 단 한순간이라도 너의 밤에 위로가 된 적이 없었는지, 네가 처음으로 내었던 그 용기는 모두 헛된 것이 되어버렸는지, 그럴 거였다면 나에게 왜 그토록 다정해야 했는지. 나는 손에 담아보지 못할 너의 뒷모습에 대고 하염없이 그렇게 묻기만 하였다.

 우리는 언제쯤 서로의 눈을 바라보며 슬픈 안부인사라도 건넬 수 있을까. 지금처럼 우리가 모든 순간 완벽한 남이 되어버린다면 우리가 나누었던 말들은 무엇이 되어버리는 걸까. 모두 무의미한 것들 뿐이라서 주워 담을 가치도 없는 것들이 될까?

나는 너와의 추억을 수시로 꺼내서 들여다보는 것에 괜히 신경질이 났다. 너를 보고 싶다는 생각이 들 때마다 스스로를 책망하며 또 구석으로 기어 들어갔다.

　'나를 사랑하며 아끼고 꼭 안아줬음 해.'

　완벽한 타인이 되어버린 너에게 감히 전할 수도 없는 말들이 오늘도 나를 갉아먹는다.

다른 사람의 곁에 있는 그대에게 ♪

여기 좁고 낮은 나의 세상은 어제와 같이 별 볼 일 없습니다. 오늘과 내일의 경계가 흐려 늘 같은 일상 속에서 먼 미래의 희망을 꿈꾸며 어깨 부딪치며 바쁘게 살고 있지요. 그대 계신 곳의 안부는 매일 같이 보고 있습니다. 오늘도 무더울지, 시원한 바람이 불어올지.

우리가 헤어지기 전, 그대가 나지막히 나의 이름 두 글자를 불러줬을 때. 당황스러운 말투로 바라보면 여느 때처럼 그냥 불러보고 싶어서라고 말할게 분명하단 생각이 들었지만 모른 채 '응?' 하고 대답을 했던 때가 기억납니다.

그대, 우리 서로 갈길 가자던 나의 말에 전해준 그 대답을 꺼내기까지 얼마나 망설였는지요. 망설이지 않았다고 해도 나는 망설였다고 믿고 싶습니다. 흐르는 서러움과 눈물을 주체하지 못해 훔쳐내며 그대를 원망했던 나를 이해하세요. 이해해주지 못한다고 하더라도 내가 할 수 있는 거라곤 여전히 그대를 상상하는 일 뿐입니다. 매일 밤 침대에 몸을 뉘어 잠에 들 땐 그대와 그대가 잠드는 곳을 상상합니다. 늘 잠들기 전에 붙이던 마스크팩과 조금은 시끄러울 수 있는 음악소리가 가득한 그 공간을.

　그대와 사는 집을 마음속에 지었습니다. 집 한 편에 는 우리의 추억을 차곡히 쌓아두었습니다. 무더운 여름 을 두 번째 맞이하는 지금까지 어떤 추억이든 언제고 손쉽게 찾아 꺼내어 볼 수 있게 정리해서 라벨지를 붙 여두면 나도 남부럽지 않은 추억을 이만큼은 가지고 있는 셈입니다.

　조그만 고백을 하나 하여야겠습니다.

　그때, 내가 그대에게 이별을 고했던 건 내 꿈을 이루 기 위해서도, 내가 그대를 사랑하지 않아서도 아닙니 다. 그저, 나는 그저 이렇게 하면 그대와 함께 할 수 있을 거라 생각했습니다. 서로가 변할 수 있을 거라 믿 었습니다. 그것이 진의이고 전부입니다. 그대는 아무렇 지 않게 여겼던 나의 결핍이 나 스스로는 흉터처럼 부 끄러웠고, 나의 좁은 마음이 당신에게 상처를 줬고 우 리를 멀어지게 만들었습니다.

　그러니 그대, 혹시라도 배려를 넘어 내게 미안한

마음을 갖지 마시길. 그대로 인해 아팠던 날들은 하루도 없었습니다. 아니, 사실은 많았지만 그대였기에 괜찮았습니다. 그대의 얼굴을 보고 목소리를 듣는 것이면 아팠던 마음이 언제 아팠냐는 듯 괜찮아졌었습니다.

오직 그대는 나의 별이자 빛이었습니다.

그대의 남편이 될 사람은 다정한 사람일 것 같습니다. 나와 다르게 그대에게 상처주지 않을 반듯하고 자상한 사람이겠지요. 섣부른 말이 될 수 있겠지만 이 추측의 근거는 미래의 남자가 그대의 연인이라는 것뿐입니다. 하지만 나, 그대 믿는 만큼 그대의 남편 될 사람 또한 믿는다 하지는 못하겠습니다. 나에게만큼은 처음부터 말로 형용치 못할 만큼의 큰 악역일 수밖에 없겠지요. 밉습니다. 내가 아닌 다른 사람이기에.

못난 마음이지요.

얼마 전, 누군가 그러더라고요. 윤종신의 '좋니' 노랫말이 내 생각과 비슷한 것 같다고. 몇 번이고 들으면 들을수록 그대를 그리는 나의 마음과 소름끼치게 닮아

나 역시도 놀랐습니다. 그대도 내 생각에 조금은 아파하다 행복했으면 좋겠습니다.

세상 모든 사람들이 그대의 평온과 행복, 화합을 소망하듯 나 또한 그대의 앞날에 축복을 빌게요. 세상을 등지고 모두에게 미련하다며 손가락질을 받는다 하더라도, 설령 훗날 그대마저 날 외면할지라도.

보지 않을 너에게 ♪

당신은 나에게 일말의 사랑이라도 느낀 적이 있나요. 언젠가 사라져 버릴 것만 같은 흐릿한 나를 보는 것에 지쳐 버리진 않았나요. 나란 사람이, 나의 얼굴이, 떨리는 내 목소리가 당신의 밤에 별처럼 박혀버린 적이 있었나요. 혹은 가슴 한편이 자꾸만 비어서 쉬이 잠을 이루지 못한 날이 있었나요.

부디 간직해 주세요.

저는 곧 떠날 것만 같은 기분이 들어요. 끝에 남겨둘 것을 늘 고민했습니다만 역시 무엇도 남기지 않는 편이 나을 것 같다는 생각이 들어요. 미워했던 것들도, 울먹이며 사랑했던 것들도 이젠 흘려보낼 수 있을 것 같습니다. 일상적인 거리와 저는 조금씩 멀어지고 있으니까요. 알아채지 못할 만큼 작았던 균열이 어느샌가 저를 삼킬 수 있을 만큼 벌어졌어요. 발목 언저리에서 찰랑거리던 물이 어느새 턱 끝까지 차올라 있었고 그럼에도 나는 우습게도 세계에 대한 비틀어진 애정을 느낍니다. 모든 것이 무너져 가는 이 곳에서, 가슴이 벅차올라 터질 것만 같은 이 감정에 몸서리를 쳤습니다.

사는 동안 평생 뜨겁고 촌스럽고 싶었어요. 그러니 이미 차갑게 식어버린 제 자신을 더 안아줄 수는 없을 것 같네요.

저는 그저 당신의 인생 그 구석 어딘가에 제 이름이 조그맣게 새겨져 있었으면 합니다. 쉽게 넘겨버리지 못할 페이지가 되었으면 합니다. 당신이 아프지 않았으면 합니다. 대신 저를 잊지 말아 주세요. 제가 여기 서있다는 걸 언제까지나 기억해주세요.

그럼 안녕.

마지막으로)

안녕하세요,

당신은 오늘 행복을 맛본 적이 있나요? 저는 완전히 불행하지는 않지만 행복하지도 않은 그저 그런 하루를 보냈어요. 실은 이런 하루를 보내게 된 게 좀 오래된 것 같아요. 이 자리를 빌려하는 말이지만 차라리 내가 완전히 불행했으면 싶기도 해요. 누구도 부정할 수 없을 만큼 온전하게 불행하여 내가 무슨 짓을 저질러도 그저 동정할 뿐 비난하지 못하는 지경이면 좋겠다고 아침에 침대에서 몸을 일으키며 문득 생각하곤 합니다. 거울을 외면하며 이를 닦다가 저런 생각을 한 나 스스로가 기이하고 한심해서 한참을 응시해요. '대체 행복하지 못할 바에야 극적으로 불행하고 싶다는 어처구니 없는 생각을 하는 이유가 뭐야?' 고민하다가 잠시 산책을 하기 위해 밖으로 나옵니다.

바깥이 어두워지고 인적이 조금씩 드물어질 때까지 제 스위치를 꺼두고 다른 사람, 적당히 행복한 사람을 연기합니다. 그러다 저의 작은 방으로 돌아오려면 꼭 지나쳐야만 하는 어두운 골목길에서 스위치가 꺼져있는 저를 만나면 너무나도 낯설고 호감이 가지 않아 소스라치고, 열 발자국은 멀어지고 싶은 기분이 듭니다.

저의 나날은 넘칠 듯 찰랑이는 무색무취의 물과 같아요. 유리잔에 담겨 있지만 결코 표면장력이 관찰되는 수위까지는 차오르지 못하는 물. 그것이 바로 저예요. 차라리 누군가 야무진 돌멩이라도 하나 주워서 제게 던져줬으면 좋겠어요. 저를 흔들어 줬으면, 흔들리다가 금이 가도 좋으니 흔들려 보았으면 좋겠어요.

몹시 불행하지는 않다는 말을 다르게 읽자면 조금도 행복하지 않다는 뜻임을 조금은 깨달은 것 같아요. 흔들리지 않는 삶만을 기다렸던 어리고 연약했던 지난날의 나. 사실은 적당한 진동 속에서 파도를 타고 오르내리며 많은걸 깨닫게 되는 유의미한 나날을 맛보고 있었던 건데, 그땐 몰랐습니다.

마지막 페이지라고 생각해서 그런지 술주정 같은 말만 길게 늘어놓아버렸네요.

당신의 하루는 행복했기를, 조금은 높은 아픔과 시련이라는 파도가 찾아왔더라도 무사히 타고 넘어가서 아픔과 시련이 괜찮은 나날로 기억될 수 있게 되기를 간절히 바라겠습니다. 시가 될 저의 긴 이야기를 읽어주셔서 고맙습니다.
부디 행복해주세요.

시가 될 이야기 ☽

시가 될 이야기 ☽

발 행 | 2024년 07월 15일
저 자 | 달밤, 김준
펴낸이 | 한건희
펴낸곳 | 주식회사 부크크
출판사등록 | 2014.07.15.(제2014-16호)
주 소 | 서울특별시 금천구 가산디지털1로 119 SK트윈타워 A동 305호
전 화 | 1670-8316
이메일 | info@bookk.co.kr

ISBN | 979-11-410-9527-7